Quelle épique époque
opaque

casterman
Cantersteen 47
1000 Bruxelles

www.casterman.com

ISBN : 978-2-203-09007-1
N° d'édition: L.10EJDN001431.N001

© Casterman 2013, 2015 pour la présente édition.
Achevé d'imprimer en janvier 2015, en Espagne.
Dépôt légal : mars 2015 ; D.2015/0053/166
Déposé au ministère de la Justice, Paris
(loi n°49.956 du 16 juillet 1949 sur les publications destinées à la jeunesse).

Anne Pouget

Quelle épique époque opaque!

Illustré par Nancy Peña

casterman POCHE

Table
(non pas de multiplication, mais des matières)

Prélude

Il était une fois, dans le royaume de France, un chevalier prénommé Philibert. Sa mère, qui craignait pour la vie de son fils, avait fait dresser un grand mur sur tout le pourtour du domaine. Rien n'en sortait ou n'y rentrait sans le consentement du garde de la Quiétude, lui-même aux ordres de dame Bertrade, la châtelaine. Ainsi, Philibert n'avait-il jamais connu l'aventure chevaleresque autrement que dans les livres que lui lisait son fidèle écuyer Cornebulle. Jusqu'au jour où...

Livre premier
La Mission

I. L'appel de l'affolé

Philibert et son écuyer s'étaient installés au bord de la rivière. L'onde chantait, les oiseaux aussi. L'herbe était verte, la cape de Philibert aussi.

— Allons, Cornebulle, lis-moi encore ce passage où Tristan déclare son amour à la belle Iseut...

Son compagnon ouvrit le précieux manuscrit, le posa bien à plat sur ses genoux, chercha la page puis commença son récit.

Le dos calé contre le tronc d'un arbre, tandis que Cornebulle lisait les exploits de Tristan à la cour du roi Marc,

Philibert mâchouillait une brindille en rêvant d'être un jour un héros aimé d'une belle princesse aussi blonde que la blonde Iseut...

L'arrivée d'un messager les détourna de ce moment suspendu dans le temps comme la feuille à sa branche.

Le cavalier, qui montait un cheval sellé, portait un document, scellé aussi. Il se présenta, dit être missionné par Merlin, celui que l'on dit Enchanteur, aux fins de demander de l'aide à tous les chevaliers du royaume...

Cornebulle se leva et s'approcha de la monture pour se saisir du pli.

— Désolé, mais tu n'es qu'écuyer et je dois remettre le pli en main propre, protesta l'émissaire.

— Mais elles sont propres, mes mains, je les ai lavées ce matin ! se défendit le fidèle compagnon d'une voix belliqueuse.

L'homme posa un regard interrogateur sur Philibert, qui consentit d'un simple signe de tête. Cornebulle arracha le parchemin de la main gantée avec une grimace de triomphe, le tendit ensuite à son maître. Celui-ci déroula le document et prit connaissance de son contenu :

Cher chevalier,

J'ai un besoin urgent de votre aide afin de chasser un monstre démoniaque. Il faut l'empêcher de nuire ou l'humanité le paiera jusqu'à la nuit des temps, et même après !

Signé : Merlin

D'un geste délicat, Philibert lâcha le bout du parchemin, qui s'enroula immédiatement sur lui-même. Il releva la tête vers l'émissaire, qui attendait sa réponse. Un instant, son silence se heurta sans bruit à celui de la nature environnante. Après avoir mûrement retourné la réponse dans sa tête durant deux interminables secondes, il répondit :

— Dites au sage Merlin que j'accepte cet honneur avec bonheur !

Le cavalier salua, puis éperonna son cheval blanc, un peu jaune, avec du noir sur l'extrémité des membres et des crins : couleur de robe que l'on appelle communément « isabelle », et s'en fut.

Lorsque l'émissaire fut hors de portée de voix, Philibert se tourna vers Cornebulle.

— Te rends-tu compte, fidèle écuyer, que Merlin me donne l'occasion de franchir, pour la première fois, les portes de ce domaine ?

Cornebulle se chatouilla le bout du nez à l'aide d'une plume de faisan (qu'il avait préalablement retirée à la bête, bien évidemment) avant de s'exclamer, tout heureux :

— Vous allez enfin être un prince qu'on sort !

— Mon pauvre Cornebulle ! Un prince *consort*, c'est le mari d'une reine, qui devient prince par le mariage, c'est-à-dire par un sort conjoint « con-sort », et non un prince qu'on emmène en promenade et *qu'on sort* !

Cornebulle dépoussiéra son collant d'un geste élégant.

— Vous chicanez, là ! Après tout, un prince *consort* est aussi un prince *qu'on sort*, puisqu'il accompagne la reine dans ses déplacements, non ?... Mais au fait... De qui allez-vous être accompagné si ce n'est par votre mère ?

— Eh bien... Comme je sens que je n'ai pas le choix : ça va être toi ! Tu vas être le Cornebulle *qu'on sort*, mon ami !

Quel bonheur pouvait-on lire dans le regard du fidèle écuyer, aussi lumineux que celui d'un potiron un soir d'Halloween !

— Je sens que le monde s'ouvre à nous, mon ami, ajouta le chevalier, et nous allons faire de grandes choses pour la destinée de ce vaste monde ! Lis-moi encore les exploits de Tristan, mon héros, que je m'imprègne de son courage et de son esprit de conquête, car je veux faire tout pareil comme lui !

Cornebulle se rassit, rouvrit le livre et le posa sur ses genoux.

Soudain, Philibert se redressa car sa mère arrivait droit sur eux comme une vague géante assaillant la jetée. Curieuse, elle venait interroger son fils sur le motif de la visite du cavalier. Son fils lui fit part de la requête de Merlin. Immédiatement, dame Bertrade applaudit telle une otarie attendant sa sardine après l'exploit.

— Chouette ! Un petit voyage en Brocéliande, la mythique forêt de Bretagne ! Je vais faire mes malles...

Philibert coupa net cet enthousiasme :

— C'est que, euh... l'aventure sera périlleuse et j'ai décidé que seul Cornebulle, mon écuyer, m'accompagnera.

— Quoi ? Lui ? s'étrangla dame Bertrade, offusquée. Mais je suis sûre que si on lui fendait le crâne en deux d'une oreille à l'autre il n'en sortirait que de la bave d'escargot !

La moue boudeuse, elle vira sur ses talons et les planta là.

Reconnaissant d'avoir été choisi et défendu de la sorte, Cornebulle eut l'envie de se jeter dans les bras de son maître pour le remercier ;

mais, croisant son regard dissuasif, il y renonça. Au fond, peu lui importait : fleurs qui poussent, arbres qui bourgeonnent, oiseaux qui chantent dans le ciel bleu, température radoucie, le printemps était là avec tout ce qui l'accompagne, et Cornebulle, lui, s'il n'accompagnait pas le printemps, allait fièrement accompagner son maître dans son aventure.

Sans attendre, d'ailleurs, il demanda l'autorisation d'aller préparer leurs effets pour le voyage. En le regardant s'éloigner, Philibert se demanda où son écuyer avait appris à courir de la sorte : ses bras tournoyaient dans les airs comme des moulinets et à chaque pas il se donnait un coup de pied dans le derrière ! Aucun animal, non, aucun de la création ne devait y parvenir aussi bien que lui !

Sur le pont-levis, dame Bertrade pleura toutes les larmes de son corps et aurait même utilisé celles de sa dame de compagnie si cela eût été possible. Courageusement, Philibert se détacha d'elle :

— Je vous en prie, mère, cessez d'inonder mon armure de vos pleurs ou elle va rouiller !

Puis, se tournant vers son écuyer :

— Allons, Cornebulle, n'allons pas jusqu'à lambiner et pressons le pas car le temps presse.

L'intéressé lui opposa des yeux ronds comme des nénuphars.

— À *Lambiner* ? Mais, sire, je croyais que nous allions en Brocéliande ?

— Mon cher Cornebulle : *lambiner* n'est pas le nom d'un village, cela signifie simplement « tarder », « traîner »...

— Ah ! Pardon, je ne savais pas. Mais je note sire, je note !

Enfourchant leurs montures, et après un dernier adieu à la mère, les aventuriers partirent au galop. L'aventure, la grande aventure, commençait pour eux...

Après avoir chevauché par monts et par vaux[1] pour se rendre au repaire du sage Merlin, ils arrivèrent dans une prairie magnifique, avec de l'herbe tendre, un ruisseau poissonneux, des arbres en fleurs. La clairière seyant au romantisme de Philibert, il décida d'y faire une halte pour pique-niquer et glissa de sa monture, comme il le faisait, étant plus jeune, de son toboggan royal...

---

1. Vaux étant le pluriel de val et non du petit de la vache, bien sûr !

Après que le fidèle écuyer se fut acquitté de toutes les tâches qui lui incombaient, il étala une nappe sur l'herbe et y déposa de quoi faire un goûter frugal : pâté de faisan, rôti de porc, poularde confite, museau de porc en gelée, sanglier en croque saignant, cuissots et cuisseaux, galettes aux herbes, batillons de céleri, mousse de courgettes, gratin de cornichons, algarade de potiron, endiablée de rutabaga, navets en robe des champs, pommes en sirop, sournoise d'épinards en crème, fricassée de champignons, gibelotte de marcassin, noisettes, amandes, fromages divers, prunes, lait, vin, ainsi que l'eau qu'il venait de puiser.

— À table, sire ! Je nous ai préparé une toute petite collation, juste de quoi se remplir nos dents creuses...

Ils déjeunèrent sous le chaud soleil de mai et sous la palme d'un arbre.

— Mon cher Cornebulle ! Qu'il est bon de profiter de l'air vivifiant de la campagne foisonnante ! s'exclama Philibert une fois qu'il fut repu.

Son compagnon balaya la nature d'un œil admiratif, qui devint peu à peu vitreux, ce qui n'échappa pas au chevalier.

— Mon ami, je crains que tu ne sois encore à te labourer l'esprit avec tes questionnements ! Allons, dis-moi ce qui te défrise la frange ?

— Je réfléchissais, sire… En admirant ce renouveau, je me disais : heureusement que la nature pousse en silence ! Je veux dire : vous rendez-vous compte si les feuilles se déployaient sur les arbres en grinçant, ou si la terre poussait des hurlements sinistres lorsque l'herbe la troue cruellement pour sortir et se dresser vers le soleil ?

Philibert regarda son écuyer avec indulgence, hocha la tête puis soupira :

— Je n'avais jamais songé à tout cela mais maintenant que tu le dis… Je comprends pourquoi les cheveux poussent en silence, et aussi je remercie le ciel que ton neurone unique ne ronfle pas bruyamment quand il dort… Il y a des fois où tu me laisses sans voix ! Allez, lis-moi encore ce passage où Tristan, déguisé, traverse la rivière avec Iseut sur le dos…

Cornebulle se lécha les doigts de la graisse du repas, sortit le manuscrit de l'étui protecteur, l'ouvrit à la page marquée d'un coquelicot séché, prêt à entamer sa lecture. Il regarda ses mains, pensif, avant de lâcher :

— Je me demandais, sire : est-ce parce que depuis tout bébé nous suçons notre pouce qu'il est le doigt le plus court de la main ?

N'obtenant d'autre réponse qu'un soupir désabusé, il se mit à lire la suite des exploits de Tristan et Iseut. Philibert se laissa bercer par le récit héroïque, dont il distillait le moindre mot, laissant son esprit s'égarer, imaginant à quoi ressemblerait son Iseut à lui : grande... mais moyennement... Intelligente... mais pas trop, pour ne pas lui faire de l'ombre... Bavarde, mais pas comme toutes les femmes... Blonde, mais pas trop... Si, bien blonde... ou alors brune... mais pas trop...

— Sire, j'ai une idée lumineuse !

Cet élan de voix arracha le chevalier à sa rêverie.

— Houlala ! Rien que le mot « idée » sortant de ta bouche m'affole... Si en plus tu l'associes à « lumineuse », je crains le pire.

Sans relever la remarque, car trop absorbé par le projet qu'il avait en tête, Cornebulle lui asséna :

— Nous allons profiter de ce voyage pour écrire votre légende !

— Ma légende ? ânonna Philibert, interloqué.

L'écuyer claqua le manuscrit qu'il tenait entre les deux mains.

— Oui, je vais être votre *bioman* de plume !

— *Biographe*, Cornebulle, *biographe* ! rectifia son interlocuteur.

Le fidèle compagnon d'épopée, qui n'en pouvait plus d'excitation, et tout étonné de voir son seigneur aussi passif devant une nouvelle aussi exaltante, exposa son idée :

— Vous êtes chevalier et vous allez rencontrer le sage Merlin et peut-être tous les nobles chevaliers qui, comme vous, auront répondu à son appel ! C'est le moment ou jamais de commencer à rédiger votre mémoire !

— *Mes* mémoires, Cornebulle, *mes* mémoires ; cela se met au pluriel !

— Si vous voulez, sire, on verra plus tard si on en fait plusieurs. Mais on peut déjà commencer par le premier tome ?

Philibert se déconfit.

— Il y a des jours où c'est moi qui aimerais avoir perdu la mienne, de mémoire, pour oublier que je te connais ! Allez, enfourchons nos palefrois et en route pour l'aventure !

Dépité de voir avec quelle mollesse son maître accueillait une idée aussi géniale, Cornebulle rangea son livre en maugréant.

Et les deux compagnons d'aventure se remirent en selle…

II. Chez le sage mage

Alors qu'ils franchissaient un gué, un groupe d'hommes à cheval vint à leur rencontre. Ils ne portaient pas armure mais étaient vêtus à la manière celte, les cheveux et la barbe hirsutes, la peau tannée et l'épée au flanc.

Fidèle parmi les fidèles, Cornebulle posa la main sur son fourreau, prêt à sortir son glaive pour défendre, sinon la vie de son maître, du moins la sienne.

Le premier des hommes se dressa sur ses étriers et se présenta :

— Je suis Rastabias, l'un des sept sages qui entourent Merlin, et voici mes compagnons, Cléobin et Tibilas.

— Euh, c'est pas un peu périmé comme prénoms, ça ? remarqua Cornebulle.

L'homme lui jeta un regard noir malgré ses yeux bleus, puis proposa à Philibert de les escorter jusqu'à l'Enchanteur.

Ils se rangèrent en belle ordonnance, deux par deux, les uns derrière les autres, mais pas en file indienne[2] ; pour faire simple nous dirons : « en bel arroi ».

Cornebulle s'émerveilla à voix haute de la vue qu'offraient les bois touffus, les carrières et les ruisseaux poissonneux où autrefois, s'était-il laissé dire, on chassait la baleine à mains nues.

À un endroit où une ornière avait rapproché leurs montures, Rastabias se pencha vers Philibert :

— Dis-moi, ami, quel est cet homme qui t'accompagne, qui a tant de cheveux et si peu d'esprit ?

— C'est Cornebulle, mon écuyer.

Poliment, l'homme à la barbe touffue lui confia son trouble :

---

2. L'Amérique n'étant pas encore découverte à l'heure où nous rédigeons ce manuscrit, on ne connaissait pas les Indiens.

— Crois-tu qu'il t'aidera intelligemment dans la quête que va te confier Merlin ?

— « Intelligemment », je ne puis l'affirmer. Mais il est fidèle ; de plus, il va rédiger ma biographie.

Rastabias se figea et réagit violemment :

— Rédiger ta biographie ?

Sa voix forte congela ses compagnons, mais pas seulement : la forêt s'était tue tout à trac tant la nouvelle avait fait l'effet d'un coup de tonnerre. Même les feuilles, sur les arbres, en frémissaient, alors qu'il n'y avait pas de vent !

— Que se passe-t-il donc ? demanda naïvement Philibert en voyant les échanges de regards terrifiés que se lançaient les sages.

Rastabias s'épongea enfin le front à l'aide d'un chiffon :

— Rien… Rien… Poursuivons notre route…

Un signe de lui et ils reprirent leur marche dans un silence de funérailles.

Rastabias, qui précédait le groupe, annonça d'une voix grave qu'ils franchissaient l'orée du Val-sans-Retour… Ils traversèrent un petit pont, s'enfoncèrent encore davantage dans la forêt profonde par un étroit sentier. La brume tricotait ses filaments nuageux dans les sous-bois, nappant la surface de l'étang, que Rastabias leur présenta comme étant le Miroir-aux-Fées, et que les genêts agrémentaient de leur or.

Enfin, après une angoissante traversée de la forêt enchantée, une maisonnette apparut à leurs regards : ils étaient arrivés à destination.

Cornebulle considéra, abasourdi, ce qui pour lui ressemblait à une cabane de manant de plain-pied, faite de rondins de bois du sol au toit. La cheminée, composée d'un enchevêtrement de galets de rivière, laissait échapper une fumée olivâtre… La porte s'ouvrit sur un homme vêtu d'une longue tunique blanche, aussi blanche que sa barbe et ses cheveux. Une large ceinture de cuir soulignait son ventre rond. Ses pieds, immenses comme des palmes, retenaient à eux seuls l'attention. Il ne pouvait s'agir que de Merlin !

Il vint à leur rencontre.

Ayant glissé de sa monture, Philibert posa un genou à terre et, la main sur le cœur, tête humblement baissée, il salua l'Enchanteur, reprenant les mêmes mots que Tristan avait utilisés lorsqu'il avait été présenté au roi Marc.

La voix rocailleuse de l'Enchanteur l'invita à se relever, puis à entrer dans son antre, à l'abri des oreilles indiscrètes. Voyant Cornebulle se lancer à leur traîne, Merlin lui barra le chemin en s'esclaffant :

— Désolé, mais ce que j'ai à dire est ultrasecret !

— Ne vous inquiétez pas pour mon écuyer doux Merlin, même s'il voulait me trahir, il serait incapable de remettre les phrases dans le bon ordre ! Pour vous donner une idée : son œil est trois fois plus gros que sa cervelle et il est incapable de se curer le nez sans mode d'emploi !

Si Cornebulle fut vexé par la comparaison et arbora sa tête de rat bouilli, le sage mage, pour sa part, fut rassuré et les convia à entrer dans la maisonnette. Là s'étalaient manuscrits volumineux, grimoires en tous genres, feuillets empilés, plumes et calames[3], encres, herbes en couronnes, en feuilles, en poudres, en pots, dans un désordre digne de l'antre d'un grand magicien. Et ça, il l'était ! En guise d'éclairage, des chandelles se consumaient en divers endroits, étalant leur cire sur le bois des tables et sur les parquets. Un doux feu crépitait dans l'âtre.

Merlin leur indiqua des tabourets devant la cheminée, s'affala à son tour sur l'un d'eux comme une vieille baudruche. Désespéré, il expliqua qu'à part Philibert, aucun prince ou chevalier n'avait répondu favorablement à son appel. Par terre, une corbeille recueillait des rouleaux, dont Merlin se saisit un à un :

---

3. Roseau taillé qui servait à écrire au Moyen Âge.

— Tiens ! Le chevalier Ygon, seigneur des Basses-Fosses, dit être au regret de décliner mon offre… Mon « offre » ?! Quand il s'agit de sauver l'humanité ! Godefroi du Creux-qui-Pleut prétend que rencontrer mille barbares chevelus, psychologiquement, il ne supporterait pas ! Il y a bien le chevalier Gondrand, prêt à combattre mille diables sur sa console de jeux en bois, mais qui a trop peur que, confronté à un seul, bien réel, il ne perde la raison ! Quant au prince de Beaumal, il est à un séminaire de Frisbee ! Des excuses, des excuses et encore des excuses ! En clair, tous concordent « Y a pas le feu aux vestiaires » !… Ah ! France, où vont tes enfants ?

Ému en entendant cela, le chevalier se jeta une nouvelle fois aux pieds de Merlin :

— Mon Enchanteur, je suis ton fils, je suis celui de la France… Bon, de ma mère aussi, mais qu'importe ! En un mot comme en cent, j'accepte de prendre la tête d'une croisade afin de bouter l'ennemi hors de la chrétienté !

La voix humide, le bon Merlin demanda :

— C'est vrai ? Tu irais laver mon honneur ?

— Avec ou sans lessive, mon Merlin bien-aimé ! Le passé est passé, le présent est là, et l'avenir reste à arriver, mon magicien préféré.

Devant cet élan imprévu et téméraire, l'Enchanteur fut plongé dans le bonheur. Il enjoignit à son ami de se relever en lui prenant la main :

— Relève-toi, je te le commande, car tu n'es que trop resté à genoux et on va finir par te prendre pour la femme de ménage. Allons donc nous restaurer.

— Judicieuse idée, vaillant Enchanteur. Je te suivrais jusque dans la mort, alors pourquoi pas jusqu'à ta table ?

Merlin ouvrit un placard, en sortit un cruchon d'eau, du pain et du fromage de chèvre. Ils s'installèrent dans le coin cuisine et partagèrent ce frugal repas. Après quoi, les visiteurs s'apprêtèrent à prendre congé avec empressement, ce qui ne manqua pas d'étonner Merlin.

— Mais où courez-vous de la sorte comme deux diables en fuite ?

— Accomplir notre mission, doux Merlin.

À la fois ébaudi et ébaubi, Merlin demanda à Philibert :

— Et ne me demandes-tu pas en quoi consiste cette mission ?

— Ah ben… Si, bien sûr ! se rattrapa le chevalier en se rasseyant tout à trac comme s'il avait peur qu'on lui volât son tabouret.

Les voyant tout attentifs, Merlin extirpa un lourd manuscrit d'une pile, le posa sur une table avec précaution :

— Voilà pourquoi je t'ai fait quérir.

— Un livre ? s'étrangla Philibert.

L'Enchanteur se précipita vers la fenêtre, la referma avec frayeur comme s'il craignait que le diable ne l'entendît. Puis, revenant vers ses hôtes, il murmura sur le ton de la confidence :

— Ce manuscrit, c'est moi qui l'ai écrit...

Après quoi, le vieil homme s'affaissa sur son siège et expliqua :

— En fait, quand je l'ai rédigé, Titivilus était juché sur mon épaule et...

— Titivilus ? bredouilla Cornebulle d'une voix d'outre-tombe, en lançant alentour des yeux effarés comme s'il avait peur de voir apparaître un être maléfique...

Un silence s'installa, empesé de terreur, qui n'échappa pas à l'œil aiguisé de Philibert.

— Euh... Quelqu'un pourra-t-il m'expliquer qui est ce Titivilus qui vous terrifie tant ?

Merlin leva les bras au ciel et expliqua d'une voix presque inaudible :

— Titivilus est un génie malfaisant, le pire ennemi des copistes... Il vient se poser sur l'épaule de celui qui écrit et attend la faute, due à la fatigue, à la lassitude, à l'inattention. Dès qu'un copiste oublie un mot, une lettre, fait une erreur, hop! Titivilus la confisque au vol et la met dans le sac qui ne le quitte jamais. Puis, lorsqu'il en a…

Merlin fit une pause, de peur de se laisser aller à prononcer le chiffre maudit de « mille » — car, dans ce cas, Titivilus réapparaîtrait comme lorsque l'on invoque le diable lui-même —, et reprit :

— Lorsqu'il en a *neuf cent quatre-vingt-dix-neuf plus une*, il apporte sa besace pleine au *Diable-d'en-bas*, qui note dûment dans un grand registre chaque faute avec, en face, le nom de celui qui l'a commise, afin qu'à sa mort le malheureux expie chacune d'elles ou brûle dans les flammes de l'enfer pour l'éternité.

Philibert réfléchit un instant avant de partager le fond de sa pensée :

— Mais Merlin, tu es druide et les druides ne croient pas aux flammes de l'enfer et à toutes ces choses qui l'accompagnent!

L'Enchanteur se redressa de sa chaise comme un diable sorti de sa boîte :

— Mais bien sûr que je n'y crois pas, malheureux!

Puis, se rasseyant piteusement, il ajouta, dans un murmure apeuré :

— Mais on ne sait jamais… Te rends-tu compte si tout cela était *quand même* vrai ? Voudrais-tu que le monde entier sache un jour que Merlin faisait des fautes d'orthographe ? Et ma réputation ?

Philibert lui tapota la main avec affection ; il venait de comprendre sa mission : retrouver Titivilus pour lui reprendre le sac à fautes.

Au tour de Cornebulle, à présent, de faire partager le fruit de ses pensées ; sachant qu'il ne fallait surtout pas prononcer le chiffre maudit, il questionna Merlin :

— Si tu dis *neuf cent quatre-vingt-dix-neuf* fautes *plus une*, ça nous laisse encore le temps…

Merlin avoua, déconfit :

— En fait, je crois que rien qu'avec mon grimoire il peut remplir sa hotte !

Sa réponse fut suivie d'un grand silence, chacun restant abîmé dans ses pensées.

Le feu, qui dans l'âtre léchait les bords du chaudron où mijotait une mixture qu'on n'aurait pas voulu avaler autrement que sous la torture, crépitait dans le silence, que Philibert brisa enfin :

— Et où peut-on trouver ce Titivilus ?

— Mais je n'en sais rien, moi ! rétorqua Merlin, agacé par sa propre impuissance.

Une nouvelle phase de silence s'installa. À court d'idées, et attendant que son maître apportât la sienne, Cornebulle se laissa distraire par la promenade d'une mouche sur le carreau de la fenêtre ;

l'animal trottait en zigzag et l'écuyer imagina la pauvre bête tentant de contourner les obstacles qu'elle trouvait sur son chemin : ici une crotte de mouche laissée par une comparse, ici les restes d'un moustique écrasé, là une traînée de graisse ; car il fallait bien constater que les vitres n'avaient pas dû voir un torchon depuis leur installation !

Enfin, Philibert revint à la charge :

— Mais, dites-moi, Merlin, n'êtes-vous pas un peu... sorcier ? Je veux dire, vos capacités... magiques... ne vous donnent-elles pas le privilège de voir des choses que d'autres ne voient pas ? Je veux dire, ne pouvez-vous distinguer l'endroit où se trouve notre triste personnage, histoire de nous mettre sur la piste ?

Merlin ramassa quelques miettes éparses sur la table, les mit dans le creux de sa main, puis les jeta dans sa bouche ouverte et les avala :

— Me prendrais-tu pour une voyante extra-lucide consultant sa boule de cristal ?

Cornebulle, à présent irrité par les atermoiements de la mouche, dont les allées et venues lui donnaient le tournis, se leva lentement ; ramassant un amas de feuillets posés sur la grande table, il s'en servit comme d'une tapette à mouches et en asséna un grand coup sur la vitre, tout heureux d'avoir écrabouillé l'insecte sur place. Il reposa son arme improvisée puis revint s'asseoir sur son tabouret ; il s'enhardit :

— Mais, Enchanteur, que contient au juste ce grimoire ?

— Chut ! C'est le *Grand Livre des Secrets* ! murmura Merlin.

La flamme d'une chandelle vacilla, crépita, puis reprit de sa force, comme si quelque esprit voulait rappeler la gravité de l'heure ; ce qui ne manqua pas d'échapper à l'écuyer.

— Quels secrets ? chuchota-t-il, les yeux ouverts comme des porches cochères.

Merlin se leva, s'avança vers la table, empoigna un volumineux manuscrit, se pressa contre lui comme s'il avait peur que ses visiteurs cherchassent à s'en emparer :

— Ça, c'est un secret ! Sinon pourquoi voudriez-vous que je l'aie intitulé *Grand Livre des Secrets* ?

Rien que le mot, dit par la bouche du grand magicien, était tout empreint de mystère... Le preux chevalier, qui savourait encore ces paroles, évoquant mentalement la gloire que cela lui apporterait, s'imagina porteur de ce sac à fautes... Soudain, il revint à la réalité et lâcha :

— Ciel ! Mais si Titivilus était sur votre épaule et qu'il a récupéré les fautes, il a aussi et forcément lu le grimoire… Donc il connaît tous les secrets du *Grand Livre des Secrets.*

L'atmosphère se glaça au point que même un pingouin, passant par là, y aurait trouvé son bonheur. Si d'ordinaire le silence est d'or, en cette heure il était de plomb, et l'heure était grave ; pire, elle était tragique !

Cornebulle hasarda :

— Sire, comme j'écris vos mémoires, je pourrais faire des fautes d'orthographe ? Vous, tapi dans l'ombre, guetteriez le démon et pourriez l'attraper ?

Merlin envoya un coup de plat de la main dans les omoplates de l'écuyer :

— N'y songe point car Titivilus n'est pas né de la dernière foudre ! Il faut que les fautes soient sincères, de vraies fautes d'inattention…

Cornebulle se défit de sa belle humeur :

— Le Malin est bien malin, mon Merlin…

— Et ça ne nous dit pas où on va le trouver ! renchérit Philibert.

Les épaules de l'Enchanteur se haussèrent d'impuissance avant de retomber sous l'effet du désespoir.

— Ne t'inquiète pas de ça. Tu es en forêt de Brocéliande, forêt mythique et magique par excellence ; aussi, je te rassure : en chemin et le moment venu, tu trouveras trois aides pour te permettre de mener à bien ton entreprise.

Il se leva, ramassa une besace :

— Ceci est un sac que j'ai... euh... « magifié » par des incantations ; Titivilus enfermé là-dedans, il ne pourra pas le traverser, donc il lui sera impossible de vous échapper...

Puis, entourant l'épaule de Philibert d'un bras paternel, il raccompagna ses visiteurs vers la sortie. Les deux compagnons franchirent la porte dans un cliquetis d'éperons. Après avoir salué Merlin, ils enfourchèrent leurs montures.

Philibert s'installa confortablement sur sa selle et pointa une direction, vers laquelle ils s'élancèrent. Le Destin, sur son destrier de brume, les emportait vers l'inconnu...

Livre deuxième
Les trois aides

I. Béate Béatrice

Ils avaient galopé durant des heures et, même s'il avait une folle envie de poser ses membres sur la terre ferme, Cornebulle ne dit mot, attendant le bon vouloir de son seigneur. Enfin, et avec soulagement, il l'entendit décider :

— Bon ! Nous vivrons le futur quand il sera présent ; pour l'heure, ventre affamé n'ayant point d'oreille, restaurons-nous par un bon petit quatre-heures et une sieste non moins bonne !

Cornebulle se tâta le ventre, y cherchant quelque oreille. Car lui n'entendait rien de ce côté-là, même quand il n'avait pas faim. Il n'osa pourtant pas poser la question.

Les deux compagnons de quête s'installèrent sous la palme d'un arbre et, tandis que l'écuyer préparait une petite collation, Philibert alla se rafraîchir les mains à l'onde du ruisseau. Lorsque tout fut prêt, ils goûtèrent. Après quoi, Philibert se saisit de sa vielle, s'installa sur le tronc d'un arbre couché et jeta ses premiers accords, tandis que son écuyer nichait les aliments à l'abri des mouches. Le chevalier chantait si bellement que tous les animaux de la forêt s'émerveillaient de l'entendre : ils semblaient à ce point émus que, soulignant ce moment intense, l'assemblée tout entière se retint : le criquet de criqueter, la mésange de titiner, la huppe de pupuler, la fauvette de zinzinuler, le chat-huant de chuinter, l'alouette de turluter, la bécasse de coucouanner, ...

Bercé par les poèmes épiques de son maître, Cornebulle s'assit dans son giron, déballa plumes et encrier, ainsi qu'un feuillet de parchemin, sur lequel il se mit à griffonner...

Lorsque Philibert eut épuisé ses lais, il rangea sa vielle, puis regagna sa place, se penchant au passage au-dessus de l'épaule de son écuyer.

Il lut « l'horloge solaire égrenait lentement ses tic-tac ».

— Dis-moi, biographe, crois-tu sincèrement qu'une horloge solaire ça fait ce bruit-là ?

Tout absorbé, Cornebulle ne releva même pas la tête :

— Ne vous inquiétez pas, doux sire, c'est un effet de style, pour faire joli...

Philibert agréa, s'allongea sur l'herbe dodue ; mais à peine eut-il fermé les yeux que le murmure de son compagnon le sollicita.

— Pardon, sire, me permettrez-vous de me pencher vers vous pour vous faire partager une réflexion ? Car une énigme insoluble m'étreint soudain la gorge... et le problème se pose pour la rédaction de vos mémoires.

Philibert se redressa sur son avant-bras, tout ouïe. Son compagnon poursuivit :

— Voilà : comme vous le savez, j'ai beaucoup lu ; après avoir éclusé des milliers de pages sur les exploits d'Alexandre le Grand, Jules César, Roland de Roncevaux, j'ai noté qu'un individu mystérieux revient sans cesse brouiller les pistes : il s'agit d'un certain J.-C. ! Son ombre plane au-dessus de toutes les batailles, dans toutes les armées et sans cesse on lit que c'était *avant* ou *après* lui. Pourtant, personne ne semble l'avoir rencontré puisqu'aucune bataille ne s'est déroulée *pendant* lui. On est toujours « en 400 avant J.-C. », « en 600 après J.-C. », 1500 encore « avant », 75 « après », nombre variable mais sans que l'on sache jamais qui est ce mystérieux J.-C. D'où vient-il ? Où va-t-il ? Et dans quels États erre-t-il sans s'arrêter nulle part ? On le nomme toujours, on le retrouve en Perse, à Rome ou en Grèce, comme s'il avait le don d'ubiquité, sans que jamais on le voie. Jean-Claude ? Jean-Charles ? Justin-Côme ? Jules-Christian ? Mystère et boule de sève ! En tout cas, il n'est jamais là au bon moment vu les *avant* et les *après* lui. Que fait-il donc *pendant* ? Il semble pourtant être le personnage principal de l'histoire car rien ne semble jamais se faire sans lui.

Une moue pour toute réponse et le chevalier se recoucha.

Peu de temps avait passé et Philibert se laissait emporter par le sommeil lorsqu'à nouveau son écuyer toussota :

— Pardon, sire… Permettrez-vous que je me penche encore vers vous pour vous poser une question ?

Le chevalier soupira, se demandant ce qui allait encore sortir de la bouche de son compagnon d'aventure et, arborant un sourire de bonne grâce, lui lança :

— Au train où vont tes questions, je te conseille de poser directement la tête sur mon épaule et de l'y laisser, mon ami... Mais parle, je t'écoute !

Soulagé, Cornebulle put s'ouvrir de son angoisse :

— Le mystère s'épaissit encore lorsque l'on s'interroge sur la participation de ce mystérieux J.-C. aux batailles : en effet, on le retrouve chez les Puniques, les Grecs, les chrétiens ou les Romains sans que l'on sache jamais pour qui il se bat vraiment. Un mercenaire intéressé par le seul appât du gain ? Un Zorro tout-terrain ? Cette histoire ne me semble pas très carrée ! D'ailleurs, une autre question fondamentale a évidemment heurté mon esprit perspicace : les aide-t-il à remporter la victoire ? Là encore, les textes sont flous, en d'autres termes : « botus et mouche cousue », comme dit l'expression...

Philibert s'était rassis, non point par terre mais comme du pain sec :

— Les bras, et même les dents m'en tombent, mon cher Cornebulle ! La seule chose que je puisse relever est que l'on dit : « motus et bouche cousue ». Pour le reste, je reste sans voix...

L'écuyer se trémoussa, fier d'avoir aplati son maître par sa réflexion. Trempant à nouveau son calame dans l'encrier, il reprit sa rédaction avec la plus grande application. Il notait, notait sans plus savoir où donner de la plume. Les bras en croix, couché sur le dos mais aussi sur l'herbe, Philibert se laissa bercer par le « scrrritchhh, scrrritchhhh » de la pointe du roseau sur le vélin et finit par s'endormir.

Sa sieste accomplie, le chevalier se leva, s'éloigna, retira ses poulaines et, assis à l'ombre d'un cyprès, il trempa ses pieds dans l'onde fraîche.

Soudain, sur l'autre rive, une vision céleste lui apparut : belle, radieuse, enveloppée d'une robe de velours d'un rouge flamboyant. Nulle raison ne gouverne le dieu Amour et la flèche de Cupidon toucha Philibert en plein œil[4]. Le chevalier scotcha son regard sur celle qui venait d'essorer son cœur pour l'éternité. Il venait de rencontrer *son* Iseut *à lui*…

Avec grâce, et à la grande surprise de Philibert, elle traversa la rivière en marchant sur l'eau… Ou plutôt sur les cailloux ; mais pour lui, la magie était toute pareille !

Elle se trouvait à présent face à lui, tout près, si près, sous le cyprès. Ébloui par tant d'éclat, Philibert laissa libre cours à son art de la poésie :

---

4. Selon la croyance, au Moyen Âge, Cupidon transperçait l'œil et non le cœur car en amour c'est l'œil qui voit le premier l'objet de son désir, donc c'est le premier touché… D'où sans doute l'expression : « Elle m'a tapé dans l'œil. »

— Vous êtes lumineuse comme mes éperons de cuivre lorsque mon écuyer les a astiqués. Et vos dents ! Aussi bien cirées que le parquet de ma chambre…

La journée était claire, le ciel serein, un serin chantait. Et là, sous les rayons du soleil filtrant à travers les branchages, elle le regardait de ses yeux clairs, comblée.

— Le vibrato de votre voix me fait craquer comme une biscotte entre les mains d'un maladroit, doux ami !

— Hélas ! Le devoir m'appelle et je pars demain à l'aube… Que peut un homme contre la force du destin ? Ahhhh ! Quand je vois vos yeux, qui ont tout le charme de deux vers luisants zozotant dans la nuit noire, j'en deviens moi-même tout phosphorescent… Oui, vos yeux, d'un vert tige, me donnent le vertige ; vos lèvres vermeilles m'émerveillent, et que dire de vos cheveux, aussi soyeux que la crinière de mon cheval ?

Elle faillit défaillir :

— Ah ! Mon doux ! Quelle poésie ! C'est si poignant que je me retiens d'évanouir…

Le prince serra les deux mains de la belle dans les siennes :

— Me promettez-vous de m'attendre, ma tendre ?

Elle lui renvoya un sourire béat :

— Oh oui ! jusqu'à votre retour et même au-delà ! Mais, et vous ? Me promettez-vous de vous promettre à nous et à la promesse que nous nous sommes faite ?

Philibert posa un genou à terre :

— Je ne vivrai que dans l'espoir de vivre assez longtemps pour cela.

Il lui baisa les deux mains ; elle l'aida à se relever et encore longtemps ils s'enlacèrent amoureusement du regard. Lorsqu'elle lui annonça s'appeler Béatrice, il se pâma comme si elle lui avait annoncé être un ange...

L'horizon tout entier s'était enveloppé d'ombre ; lui s'enveloppa dans sa cape et, ayant salué sa douce, s'en retourna au campement.

Le voyant arriver parlant aux anges, les yeux rêveurs, mais, surtout, pieds nus sans rechigner malgré les ronces, son fidèle écuyer se douta que quelque événement sérieux avait mis son maître dans un tel émoi. Il lui fit d'ailleurs remarquer qu'il avait oublié ses poulaines au bord du ruisseau. Mais l'autre, perdu dans ses pensées angéliques, survola la remarque avec un sourire d'imbécile heureux. Il se glissa sous sa couverture en soupirant, tout guilleret :

— Allons, Cornebulle, sortons nos doudous car c'est l'heure du dodo. Nous sommes en forêt de

Brocéliande, alors nous pouvons dormir sur nos deux oreilles puisque nous sommes protégés par la magie des lieux.

Cornebulle s'allongea à son tour sous sa couverture, perplexe, se demandant comment un être normalement constitué pouvait dormir sur ses deux oreilles en même temps. Lui avait beau avoir essayé, il n'y était jamais parvenu ! Depuis tout petit, il ne pouvait dormir que sur une oreille à la fois... La vie était faite de bien des mystères insondables...

Les ronflements, bientôt, couvrirent la chouette qui hulule, le cheval qui hennit, le crapaud qui coasse, la mésange qui titine, la huppe qui pupule, la fauvette qui zinzinule, la perdrix qui cacabe, la belette qui belote, la caille qui margaude, le cerf qui rait, le chacal qui raule, le chat-huant qui chuinte, l'étourneau qui pisote, la grive qui gringotte, le geai qui cacarde, et bien d'autres bruissements d'animaux qu'il serait trop long d'énumérer ici...

Puis rien, sinon la nuit, ne se passa.

Les premières lueurs du jour déchirèrent les ténèbres de la nuit, heureusement en silence.

Cornebulle secoua son maître comme un prunier, pour le réveiller.

— Sire, je faisais le guet près du gué lorsque soudain elle est apparue...

Le chevalier se redressa et, son air hagard soudain percuté par le souvenir de la veille, il murmura :

— Béatrice à la peau lisse, ma sereine sirène...

Se levant avec entrain, et le pied pétillant de bonheur, il se dirigea vers la berge. Vision céleste : comme un enchantement, dans la brume matinale, mais aussi dans un bliaud azur bordé d'or, Béatrice était là. Près d'elle, une barque.

La jeune fille annonça :

— Cette embarcation est magique : elle vous permettra de remonter la rivière jusqu'à une destination mystérieuse qu'elle seule connaît. Je garderai vos chevaux en attendant votre retour.

Philibert se rapprocha de la belle et demanda :

— Est-ce pour moi que votre petit scoubidou de nez renifle ?

Elle rougit et baissa pudiquement les yeux :

— Non, tout doux, je me suis enrhumée.

— Alors restez vaillante, mais surtout loin de moi ; car comme le disait Aramis : « Tousse pour un et rhume pour tous ! »

Elle entortilla ses doigts de bonheur ravi.

— Comme j'aime votre humour, m'amour.

— Douce mie, c'est que quand je vois votre petit nez rougi, qui ressemble à une jolie limace enroulée sur elle-même, ça m'émeut bellement...

Il enserra ses deux mains blanches dans les siennes tandis que leurs regards restaient harponnés l'un à l'autre.

— Mon doux ami, vous n'êtes pas encore parti que vous me manquez déjà ! Et je plonge dans le désespoir si je songe que si vous mourez, je vous perds.

Il porta les doigts de son aimée à ses lèvres, y déposa un doux baiser.

— Que dites-vous ma mie ? Et à moi, y avez-vous songé ? Car, certes, si je meurs vous me perdez, mais si je meurs, moi, je perds tout le monde et ça fait bien plus de monde !

Une larme perla des cils fragiles de la béate Béatrice.

— Oh, cruelle et égoïste que je suis ! Je ne pense qu'à ma petite personne et vous avez raison de me rendre la raison ! Mais loin de nous ces funestes pensées car pourquoi devriez-vous mourir ? Lorsque vous reviendrez, je consentirai à vous servir : je m'occuperai de votre armure, de notre maison à la campagne, de nos chevaux, nos chiens… Aimez-vous au moins les animaux, m'amour ?

Philibert posa une main sur son cœur et déclara, plein d'emphase :

— Je les adore ma mie, d'ailleurs j'en mange à tous les repas… À mon retour, je vous épouserai ;

puis, comme des fous, nous partirons en voyage de noces : je réserverai une suite dans un camping cinq éperons...

Elle chavira et soupira :

— Que c'est romantique !

La corne de brume retentit, annonçant l'heure de l'adieu. Philibert plongea ses yeux dans ceux de son aimée et ils restèrent ainsi, longuement silencieux, englués dans le temps de l'amour.

La trompe sonna encore, les rappelant à leur devoir. Il était temps pour le chevalier de prendre congé de sa belle, qui avait le cœur aussi lourd que le cabas garni de victuailles que Cornebulle montait à bord.

Les amoureux transis se séparèrent avec déchirement...

L'ancre fut levée et la coque se détacha de la berge. Le fracassant mouchage de nez de Béatrice, douce mélopée à l'oreille de Philibert, s'évanouit bientôt, emporté par le zéphyr...

Les questionnements de son écuyer le ramenèrent à la réalité.

— Combien de kilos de mètres allons-nous parcourir, sire ?

— Euh... Je crois qu'on dit « kilomètres », Cornebulle ; les mètres ne se calculent pas en poids...

L'écuyer haussa les épaules et rétorqua, taquin :

— Ben… dans « kilomètre » il y a bien « kilo », sire !

— En fait, ça vient du grec ancien *chiloi*, qui signifie « mille » ; comme tu le sais, d'ailleurs, *chilopode* est le nom savant du millepatte, c'est-à-dire la bestiole qui a *chiloi* : mille pattes.

Peu convaincu, et après avoir ruminé la chose, l'écuyer ironisa :

— Je ne vois pas ce que le millepatte vient faire dans notre histoire de distances, sire…

Philibert renonça à répondre et offrit son visage à la brise, indifférent à ce qui l'entourait, pour signifier à son écuyer que la conversation – si l'on pouvait nommer ainsi ce ramassis d'inepties – était close.

La quille fendait l'onde en silence, glissant sous la ramée des arbres. Ici et là des libellules dansaient sur l'eau, faisant miroiter leurs ailes scintillantes. Bercé par cette nature radieuse, et la barque avançant toute seule au fil de l'eau, Cornebulle reprit sa rédaction. Près de lui, le cheveu fouetté par le vent, le sourire aux lèvres, Philibert devait rêver à quelque béate créature, telle sa Béatrice.

Le temps passa, immobile, suspendu à lui-même, bercé par le *flip-flap* de l'eau sur la coque et le *sqrrch sqrrch* de la plume de Cornebulle sur le parchemin. Au bout de quelques tours de sablier, Philibert vint s'installer à côté de son biographe et, attrapant un vélin, se mit à le parcourir du regard. Il releva la tête après quelques lignes :

— Quand tu dis « nous galopâmes par monts et par vaux », étais-tu obligé d'ajouter « comme dirait ma copine la vache » ?

Cornebulle pouffa, se fendit d'un large sourire, les dents et les lèvres teintées d'encre à force de mâchouiller son calame.

— C'était ma touche d'humour, sire…

L'écuyer se replongea dans sa rédaction, laissant Philibert à ses rêveries. Celui-ci d'ailleurs l'interrompit une nouvelle fois :

— Regarde, même en ces bois nous rencontrons des pigeons !

Cornebulle leva à peine les yeux de son feuillet :

— C'est normal, sire, puisque les pigeons sont voyageurs !

Philibert hocha la tête, adhérant finalement à l'idée. Fatigué par toutes les péripéties de la journée, il décida de faire un somme et s'allongea dans le fond de la barque.

II. Chevaux au vent

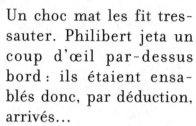

Un choc mat les fit tressauter. Philibert jeta un coup d'œil par-dessus bord : ils étaient ensablés donc, par déduction, arrivés…

À peine eurent-ils débarqué et fait quelques enjambées qu'un gnome, pas plus haut qu'une botte, s'approcha d'eux et pointa deux chevaux du doigt. Le temps pour leurs regards de faire l'aller-retour : du gnome aux montures et d'elles au gnome, ce dernier avait disparu.

— Elle était brève, cette aide ! commenta l'écuyer.

— Mais c'est une aide quand même! répondit Philibert.

Cornebulle défit le lien qui maintenait les destriers entravés à un arbre; n'ayant d'autre choix, et faisant confiance au destin, les deux compagnons enfourchèrent leurs nouvelles montures, qui s'élancèrent dans une course folle et dans la forêt épaisse.

III. La folle et la fiole

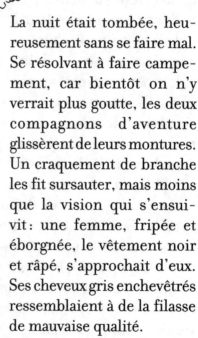

La nuit était tombée, heureusement sans se faire mal. Se résolvant à faire campement, car bientôt on n'y verrait plus goutte, les deux compagnons d'aventure glissèrent de leurs montures. Un craquement de branche les fit sursauter, mais moins que la vision qui s'ensuivit : une femme, fripée et éborgnée, le vêtement noir et râpé, s'approchait d'eux. Ses cheveux gris enchevêtrés ressemblaient à de la filasse de mauvaise qualité.

— Je vous attendais les amis ! grinça-t-elle avant de cracher par terre.

Cornebulle protégea son maître derrière le rempart de son corps ; mais celui-ci, courageusement, fit se déporter son fidèle écuyer avant de rétorquer :

— Alors, femme, si tu sais ce que nous savons et si tu sais où se trouve ce que nous cherchons, parle sans délai !

Recroquevillant son index crochu avec le même mouvement méticuleux que Cornebulle lorsqu'il se curait le nez, elle leur fit signe de la suivre.

Longé un petit chemin, ils se trouvèrent dans une clairière où des dolmens étaient disposés en cercle. Après avoir fait asseoir les nouveau-venus au centre, sur deux roches, elle les fixa tour à tour en silence, leva le menton, scruta le ciel comme si elle vérifiait qu'il n'y avait pas un trou à réparer dans la voûte céleste, puis cloua son œil glauque sur Philibert ; la lune jouait de ses reflets sur ses cheveux argentés, lui donnant l'apparence d'un spectre. Soudain, elle s'éleva du sol de quelques pieds, flottant ainsi dans les airs.

— Sire, si la trouille était un moyen de locomotion, je crois que je serais déjà dans les bras de ma mère ! bégaya Cornebulle sans pouvoir quitter la vieille femme du regard.

Elle étendit une main, prolongée de son index crochu telle une serpe, qu'elle pointa sur l'écuyer en l'assommant d'un « Tais-toi ! » digne du râle d'un dragon.

Cornebulle, qui dégageait une terreur à glacer les pierres, ferma la bouche, avala sa salive. Un nouveau coup d'œil au ciel et elle ajouta :

— Il approche... Il vient...

Une onde glacée parcourut le dos de l'écuyer, lui hérissant même les poils des narines et de l'intérieur des oreilles ; il était pétrifié jusqu'aux ongles des orteils et seuls ses yeux terrifiés s'agitaient dans la nuit.

Soudain, la silhouette fantomatique de la vieillarde vira du noir au vert phosphorescent et un rai se posa sur le crâne du chevalier.

Un long temps passa, qui, si l'électricité avait existé, eût été qualifié d'électrique... Puis une fumée orangée se forma, qui enveloppa la magicienne. On n'entendait que Cornebulle, qui avalait bruyamment sa salive.

Enfin, après un autre long temps, le brouillard épais se dissipa, le rayon s'éclipsa, la vieillarde se reposa sur la terre ferme et reprit son apparence normale. Dans sa main était apparue une fiole aux reflets luminescents :

— À l'aube naissante, vos chevaux vous emmèneront jusqu'à un bourg du nom de Paimpont ;

c'est dans le *scriptorium*[5] de l'abbaye que vous trouverez celui que vous cherchez, expliqua la magicienne, qui confia alors la fiole à Philibert avant de poursuivre : Comme il est invisible, le moment venu, avale le contenu de ce flacon : cette potion te permettra de voir celui que tu dois combattre !

Le précieux récipient changea de propriétaire et le chevalier le glissa dans sa besace tout en remerciant la magicienne, qui tourna les talons et s'en fut ; en quelques instants, sa silhouette se dissipa dans l'obscurité du sentier.

Les deux compagnons de route revinrent jusqu'à leur campement, silencieux comme une tombe, mieux, comme un cimetière tout entier.

Philibert s'allongea et, pour se protéger du froid, tenace malgré le feu de camp, il s'enveloppa dans une épaisse pelisse en fourrure d'ours, qu'il avait lui-même combattu et vaincu à mains nues, du moins d'après ce qu'avait consigné Cornebulle dans sa légende. Le cri rauque d'un corbeau les fit frissonner ; l'écuyer balaya les branchages d'un regard inquiet et il se ratatina sous sa couverture.

---

5. Dans l'abbaye, le *scriptorium* était la salle d'écriture. C'est là que se réunissaient les moines pour recopier des manuscrits, qu'ils enjolivaient d'enluminures. Eh oui, le mot anglais « script » est bien un mot à racine latine !

Pour conjurer sa peur, il fixa son attention sur les crépitements du feu de camp, se persuadant que Merlin était là, sous forme de flammes, et qu'il les protégeait. Comme lui-même était là et las, il finit par s'endormir.

IV. Aide de trot ?

Les deux allants[6] avaient longuement chevauché, traversé clairières et sous-bois sans s'arrêter plus que ne l'exigeait l'appel de la nature.

Enfin, ils s'arrêtèrent à l'orée d'un village, devant un écriteau indiquant « Paimpont ». Ils étaient arrivés ! Scrutant l'horizon, pointant enfin l'index en direction de l'étang, dans lequel se reflétait l'église paroissiale, mais aussi un superbe bâtiment en pierres de taille,

---

6. Ainsi nommait-on au Moyen Âge ceux qui allaient les chemins en quête d'aventure ; ils « allaient » (forcément) quelque part.

Philibert y entraîna son cheval, ainsi que son compagnon d'aventure.

Ayant noué la bride de leurs montures à un arbre, ils se dirigèrent vers la porte massive de l'abbaye. Le chevalier frappa avec conviction.

Un judas grillagé s'ouvrit bientôt et un moine montra son visage, aussi rond qu'une pleine lune, la beauté en moins. Ses sourcils broussailleux lui donnaient un air sévère et semblaient plus fournis que la couronne de cheveux qui lui auréolait le crâne.

— Bonjour, mon frère, nous voudrions entrer…, ébaucha Philibert.

— Désolé, mais dans notre cloître ne peuvent entrer que les moines, moinetons, moinillons et moineaux.

L'œilleton se referma dans un claquement sourd, ne leur laissant aucune chance de plaider leur cause.

— Par tous les calames du monde, nous voilà mis à la porte de l'abbaye avant d'y être entrés ! maugréa Cornebulle.

Ils contournèrent le bâtiment ventru et tombèrent nez à nez sur un panneau indiquant « Relais de Brocéliande à un jet de flèche ».

— Le destin nous sourit mon brave, viens !

Cornebulle tourna sur lui-même comme une girouette un jour de grand vent. Quel était ce maître bizarre qui voyait le destin lui sourire ?

Ils empruntèrent la rue principale, passèrent un portique, pour voir apparaître l'auberge fleurie portant belle enseigne : *Relais de Brocéliande*. Ayant confié leurs chevaux au palefrenier, ils poussèrent la porte et pénétrèrent dans les lieux : aucune place vacante autour des tables ! Ils restèrent là, pantois, jusqu'à ce qu'un gnome les approche en leur tendant une clé massive :

— Chambre sept, à l'étage !

— Euh... Moi je prendrais bien un petit croûtillon et un petit grappillon avant de faire un petit roupillon ! hasarda Cornebulle.

Le gnome revissa son bonnet sur le crâne et grognassa :

— Tu mangeras à un autre moment ! Pour l'heure, tu montes dans la chambre que je t'ai indiquée !

— Oh là ! Oh là ! Tu me parles autrement, toi ! s'indigna l'écuyer.

Philibert leva le bras pour faire taire la querelle et s'empara de la clé. Ensemble, les deux compagnons de quête gravirent les marches, s'arrêtèrent devant la porte indiquée.

— Sept comme les sept nains de Blanche-Neige, sire !

— J'applaudis à tes références culturelles mon ami !

Philibert fit tourner la clé dans la serrure et le battant grinça sur ses gonds. Ils entrèrent dans la chambre proprette composée d'un lit, un chevet, une table, un tabouret, une armoire. Immédiatement, ils remarquèrent une besace ouverte sur la couverture ! Ils s'entreregardèrent, étonnés. Tandis que Cornebulle refermait précautionneusement la porte derrière eux, Philibert attrapa le sac et en vida le contenu : coules, sandales, livre de prières, et même un rasoir pour la tonsure s'étalèrent devant leurs yeux ravis.

— Deux déguisements de moines ! On va pouvoir retourner à l'abbaye sans se faire repérer !

Ils s'empressèrent de se changer. Une chose frappa l'esprit de Cornebulle, dont il ne négligea pas de partager le menu avec son compagnon de route :

— Sire, je sens que vous allez encore trouver à redire à ce que je vais dire, mais Merlin nous a annoncé trois aides, et là, si l'on compte bien, ça en fait quatre... N'y aurait-il pas un piège quelque part ?

Au tour de Philibert de compter sur ses doigts : Béatrice et la barque, les chevaux du gnome, la fiole, et ces déguisements bienvenus...

— Tu as raison, ça fait quatre !

Puis, se redressant énergiquement :

— Au diable les doutes, allons vers l'aventure ! Si Merlin sait aussi bien compter qu'il écrit, gageons que Titivilus a encore de beaux jours devant lui ! Alors, arrêtons de couper les cheveux en quatre dans le sens de la longueur et lançons-nous !

Forts de cette décision, ils procédèrent au rasage du sommet du crâne l'un de l'autre, puis se complimentèrent : vrai, à présent, ils pouvaient passer pour deux moines !

Livre troisième
Embrouilles dans le brouillard

I. L'affaire est dans le sac

La fiole bien calée dans son aumônière, Philibert entraîna Cornebulle et, ensemble, ils revinrent sur leurs pas. Ils frappèrent une nouvelle fois à la porte de l'abbaye de Paimpont ; l'œilleton grillagé s'ouvrit :

— Qui va là ? demanda la même face de baudruche.

Prenant une pose humble et une voix pleine d'humilité, Philibert répondit :

— Nous sommes frère Philibert et frère Cornebulle, mon frère. Nous venons en ce lieu pour recopier un manuscrit, envoyés par notre prieuré de… euh… Fleury-le-Lilas !

— Fleury-le-Lilas ? Connais pas cet endroit !

— C'est euh… en Belgique galloise mon frère ! Et nous avons marché durant des semaines pour arriver en ce lieu merveilleux dont la réputation atteint les rives du… grand lac salé !

Impressionné par ces propos, et pas peu fier de voir que la renommée de son abbaye était arrivée jusqu'en des lieux qu'il ne connaissait pas lui-même, le moine leur ouvrit révérencieusement la porte.

Après présentations et formules d'usage, ils furent introduits dans le *scriptorium*. Là, des moines, installés à leurs pupitres et penchés sur leurs feuillets parcheminés, s'évertuaient à recopier les textes anciens.

On attribua une place aux nouveau-venus. Cornebulle posa près de lui le sac en toile de jute que leur avait confié Merlin et qu'il avait dissimulé sous sa coule, jeta un coup d'œil complice à Philibert. Le plan était simple : les deux amis feraient mine d'être deux nouveaux moines copistes et se mêleraient aux autres ; le moment venu, Philibert boirait le philtre magique pour voir Titivilus ; les deux complices se jetteraient alors sur le démon et l'enfermeraient dans le sac…

Ainsi commença la matinée, dans le silence laborieux de l'atelier d'écriture…

Lorsque l'après-midi se fut installé et qu'ils se fondaient dans l'ambiance du lieu, à l'instant qu'il jugea propice, Philibert se leva et avança en direction de la grande table où s'alignaient les flacons d'encres et de couleurs destinées aux enluminures; au passage, il adressa à Cornebulle le signal convenu. Dos à la salle, tout en faisant mine de préparer une encre dans un godet, le chevalier sortit la petite fiole, la déboucha.

Soudain, comme un diable sorti de sa boîte, Cornebulle se précipita à ses côtés et chuchota, tout anxieux :

— Sire ! Mais si vous voyez *Qui-vous-savez* et qu'il tente de fuir, comment vais-je savoir où il se trouve puisque moi-même ne le verrai pas ?

Philibert suspendit son geste, réfléchit un court instant avant d'approuver le bon sens de son compagnon. Après avoir considéré la fiole, encore réfléchi, il décida :

— On va en boire chacun la moitié. Car même si on n'en voit chacun que la moitié on peut supposer que l'autre moitié sera accrochée à la première...

Cela dit, il en avala sa part, tendit la fiole à son compère qui, réfléchissant encore un temps à ce que venait de dire son maître, finit par boire la sienne.

Ils se retournèrent et, découvrant la scène, Cornebulle sentit son cœur broyé par une main de métal hérissée de piques ; instantanément, il se sentit capable de fuir en défonçant le mur sous le seul élan de son corps. Le preux chevalier n'était pas en reste côté horreur car, à présent qu'ils voyaient l'invisible, et en entier, le spectacle qui s'offrait à leurs yeux aurait terrifié le plus téméraire des héros : gesticulant autour des moines, qui écrivaient avec application sans se douter de ce qui les entourait, des créatures terrifiantes sautaient d'épaule en pupitre, de rebord de fenêtre en étagère, avec une agilité sans nom et en poussant des cris sinistres, qui auraient donné la chair de poule à un œuf.

— Ben là, je crois qu'on va être embêté car on a oublié de demander à Merlin de nous décrire *Qui-vous-savez* ! miaula Cornebulle.

En effet, comment reconnaître Titivilus dans cet assortiment de monstres terrifiants aux corps de griffons, aux têtes de gargouilles, aux longues queues difformes et aux pattes d'ours ? Sur la dizaine qui bondissait en tous sens dans la salle, il ne s'en trouvait pas deux identiques : toute la diversité de l'horreur était représentée là ! Quelle imagination ! À elles seules, ces créatures étaient tous les cauchemars réunis. Sans compter l'odeur, car en plus la fiole avait libéré leurs sens : ça puait le rat crevé dans l'égout !

— Est-ce qu'on pense à la même chose ? demanda Philibert.

— Si on peut appeler ça *penser* ! répondit Cornebulle. J'ai la cervelle aussi mâchouillée qu'une huître passée à la moulinette ! Mais dites-moi, doux maître, ce à quoi je suis censé penser et je vous dirai si je pense pareil ?

Un coup d'œil circulaire et le chevalier lui souffla :

— Il va falloir ruser pour apprendre qui est... *Celui-que-tu-sais...*

Respiration prise, bouche ouverte, Philibert allait poursuivre lorsqu'il se mit à renifler. Baissant la tête, il se figea, déplia le doigt, hébété : là, près de son fidèle compagnon, l'un des petits monstres se tenait sagement assis et écoutait ce qu'ils disaient. Il avait le corps recouvert d'écailles rouges ; sa tête de dégorgeoir — et l'odeur qui l'accompagne — entourée de plumes faisait peur à voir pour un simple mortel ; il leva lentement sa longue queue en arborant un sourire narquois, puis la fracassa violemment sur le sol, faisant sursauter Philibert et Cornebulle.

— Tu crois qu'il voit qu'on le voit ? hésita Philibert.

Pétrifié, l'intéressé ne broncha pas.

La bête leva l'appendice qui lui servait de bras et vint gratouiller le dos de la main de l'écuyer.

— Vous sentez, sire ? Il me griffe, là, sur ma main…

— Comment veux-tu que je sente quoi que ce soit puisqu'il s'agit de *ta* main *à toi* ?

— Pardon, sire, là je crois que ma boîte de réception est en vrac !

Cornebulle ne quitta pas le petit monstre rouge du regard, s'attendant à être à tout moment écrasé sur place par cette queue, agitée lentement, prête à s'abattre sur sa proie au moindre clignement de cil. On eût cru une trompe d'éléphant greffée sur les fesses d'un dragon !

La bête sauta sur l'épaule de l'écuyer, qui se pétrifia comme si une tarentule se promenait lentement sur sa joue ; seuls ses yeux écarquillés suivaient le mouvement de la queue, laquelle s'agitait toujours en lents balanciers. Philibert lui asséna calmement :

— Garde contenance, ami, il ne me semble pas bien farouche…

— Je crois que c'est surtout l'incontinence qui me guette parce que là, je sens que dans pas longtemps je vais faire pipi dans mes sandales.

Dans la salle, les créatures hideuses sautaient en tous sens ; trois d'entre elles s'étaient juchées sur les épaules d'autant de moines, grimaçant à leurs oreilles, poussant leurs cris rauques ou stridents, avant de s'envoler pour se poser ailleurs. Mais, en effet, tous les monstres ignoraient totalement leur présence ; de fait, ils ne se doutaient pas qu'ils étaient vus.

Le monstre rouge fit un bond prodigieux et alla se nicher près de la fenêtre. Soulagé, Cornebulle se lâcha :

— Merlin avait oublié de nous dire que nous verrions TOUS les diables de l'enfer, et les chimères, et les basilics[7], et les vrais dragonnets, et les...

— J'ai saisi l'idée globale ! coupa Philibert. L'heure est grave, il faut revoir notre plan, car nous ignorons combien de temps cette potion va faire effet ! Il nous faut donc repérer *Qui-nous-savons.*

Cornebulle lâcha une pointe d'ironie :

— Vraiment, sire, là vous m'épatez !

Philibert, qui avait pris la remarque pour un compliment, tapota l'épaule de son écuyer d'une main affectueuse :

— Le rôle d'un chef, c'est d'aider sa boussole à ne pas perdre le nord...

Leur attention se reporta sur leur mission ; dans le *scriptorium,* c'était un contraste saisissant

---

7. Pas la plante, le monstre ! voir p. 164.

entre les moines, studieusement penchés sur leurs pupitres et les démons effrayants qui couraient et sautaient en tous sens en poussant des râles d'outre-tombe ou des cris aigus. Certains, facétieux, se fendaient d'un large sourire, l'un arrachant un cheveu à un moine, l'autre lui chatouillant une oreille avec application, un autre encore soufflant sur un calame ou un feuillet jusqu'à le faire tomber au sol. Effaré, Cornebulle comprit en cet instant pourquoi livres et feuillets tombent parfois tout seuls et sans raison par terre.

Sur un signe de Philibert, chacun reprit modestement sa place. Tout en faisant mine d'écrire, le chevalier lorgnait la salle, sans jamais s'habituer à ce qu'il voyait défiler sous ses yeux affolés. Néanmoins, dans ces allées et venues du monde des horreurs, il remarqua un démon qui portait un sac, allait d'une épaule à l'autre tel un singe sur sa liane, se penchait en avant, observait, attrapait et tirait des choses imaginaires qu'il enfouissait dans sa besace... Pas de doute : c'était Titivilus.

L'animal hideux se stabilisa finalement sur l'épaule d'un moine ventru qui, visiblement fatigué, semblait lutter contre le sommeil qui le gagnait : les paupières se baissaient, la tête retombait mollement, la main relâchait son étreinte lorsqu'un bruit de flacon, d'objet déplacé, d'éternuement, le faisait sursauter; alors il se remettait mollement au travail en bâillant; de temps à autre, le petit monstre poussait un rire effroyable de victoire, avançait le bras vers le feuillet et, hop! dérobait la faute et l'escamotait dans son sac.

Le chevalier repoussa lentement le manuscrit qu'il tenait devant lui, posa son calame, se leva et se dirigea vers la table des encres. Au passage, il poussa le bras de Cornebulle selon le plan convenu; mais au lieu de réagir, celui-ci se contenta de lever distraitement la tête de son ouvrage comme un chat endormi surpris par l'envolée d'une mouche, avant de se replonger dans son travail. Philibert s'employa à transvaser de l'encre dans son godet et, voyant son compagnon toujours assis à sa place sans bouger, il tenta d'attirer son attention, en vain.

À bout de patience, il s'en approcha et se pencha vers lui:

— Espèce d'ahuri en poulaines! Tu vas réagir quand je te fais signe?

Tout hébété, Cornebulle releva à nouveau la tête. Enfin, comme s'il émergeait d'une longue rêverie, il sourit, tout attendri:

— Oh, pardon, sire, je ne vous avais pas entendu. Vous avez vu la belle lettrine que je suis en train de mettre en couleur pour ornementer votre légende?

Pas peu fier, il tendit son feuillet. L'effet ne fut pas celui qu'il avait escompté.

— Par les crins de ma jument ! On n'est pas là pour faire de l'aquarelle ! On a une mission ! rumina le chevalier.

Cornebulle parut à la fois désolé d'avoir oublié son rôle et déçu de devoir délaisser son enluminure.

Philibert lui indiqua Titivilus d'un regard entendu, puis il se dirigea vers le pupitre de frère Barnabé, faisant mine d'admirer son travail. Pendant ce temps, Cornebulle avait ramassé le sac et s'était approché à son tour du moine. Soudain, Philibert attrapa la patte de Titivilus.

— Vite ! Vas-y Cornebulle.

Tout épouvanté, son fidèle compagnon jeta le sac sur le diable, qui se débattait en tous sens, sous le regard consterné de frère Barnabé et des autres religieux qui ne comprenaient rien à ce qui se passait ; car, évidemment, aucun d'eux ne voyait l'invisible.

Titivilus enfermé à double tour de corde dans son sac, Cornebulle tomba sur son séant, riant de soulagement.

— Mais que vous arrive-t-il ? demanda le prieur, non content de voir deux des leurs se comporter de la sorte sans raison.

Philibert balbutia, pas peu fier :

— Nous venons d'accomplir brillamment notre mission !

— *Brillamment* ? Je dirais plutôt *bruyamment* ! grinça l'abbé.

Se tournant vers ses frères, et les prenant à témoin, le supérieur tonna :

— Avez-vous vu comment ils tournoyaient tous deux dans le *scriptorium* ? Ils ont rompu leur vœu de silence ! Ils ont perturbé notre quiétude !

— Vrai ! Ils... Ils... semblaient possédés par quelque démon ! ajouta un autre.

Un « Ho ! » de consternation s'éleva en chœur et chaque moine recula d'un pas. S'ils avaient pu voir les monstres se délecter de ce spectacle, riant, sautant de plus belle et en tous sens !

Cornebulle brandit son sac :

— Mais non, détrompez-vous mes frères ! Voici le seigneur Philibert, chevalier, et je suis Cornebulle, son fidèle écuyer !

Les moines reculèrent d'encore un pas tandis que le prieur, bouclier humain tendant ses bras en croix, semblait vouloir protéger les siens de quelque danger impalpable. Il répondit tout à trac :

— Bien sûr, et moi je suis le pape !

Puis, s'adressant à sa congrégation :

— Voilà que nos frères racontent n'importe quoi à présent ! Je vous le dis : leur esprit est dérangé, ils sont possédés ! Vite mes frères, capturons ces deux suppôts de Satan qui sortent d'on ne sait où, mettons-les aux fers et prévenons l'évêque !

Sans crier gare, et dans un même élan, les religieux se jetèrent sur les deux héros comme un seul homme. Dans la bataille, Cornebulle lâcha le sac, qui roula dans un coin, oublié de tous. Eux furent défaits, mis hors d'état de nuire, et extraits de la salle *manu militari*, ou plutôt *manu monacchi*.

Depuis plus d'une heure, Philibert et Cornebulle étaient enfermés dans l'une des pièces de l'abbaye, prisonniers et désespérés.

— Il faut récupérer le sac et prendre la poudre d'escampette ou nous sommes bons pour le bûcher après un procès en sorcellerie ! déclara Philibert.

— Mais, pour récupérer le sac, il nous faut nous enfuir d'ici avant de nous enfuir avec le sac, sire... Enfin, si vous avez compris mon raisonnement !

— Dans les grandes lignes, comme d'habitude avec toi, même si les lignes, dans ton cas, sont toujours en pointillé… L'urgent est de sortir d'ici !

Cornebulle balaya la pièce d'un regard circulaire, l'air désolé. Il souffla :

— Et comment sire ? Il y a aux fenêtres des barreaux gros comme les jambes de mon cheval. Vous ne voudriez tout de même pas que je les lime avec mes dents ?

— Toujours les extrêmes avec toi ! Je te signale qu'il y a aussi une porte…

À ça, l'écuyer n'avait pas songé, tant ses neurones étaient en pagaille. Admiratif, il regarda faire Philibert qui, à l'aide d'un fil de fer, et sous le regard de son écuyer, crocheta la serrure, qui céda enfin. La porte grinça sournoisement sur ses gonds et, un instant, ils eurent peur d'avoir alerté leurs geôliers. Le souffle en suspens, Philibert sortit la tête, regarda à droite, puis à gauche :

— La voie est libre, vite !

Longeant les murs, retenant leur souffle, les deux compagnons se faufilèrent jusqu'au *scriptorium*, collèrent l'oreille au battant de bois massif. Pas un bruit n'en fusait. Le chevalier enclencha le loquet.

— Sire ?

Philibert suspendit son geste, aux aguets : quel danger inattendu son écuyer avait-il pressenti ? Ayant toute l'attention sérieuse de son maître, Cornebulle poursuivit :

— Je me suis toujours demandé ce que signifiait la phrase dans *Le Petit Chaperon rouge* : « Tire la chevillette et la bobinette cherra. »

— Tu crois vraiment, mais vraiment, que c'est le moment ? souffla Philibert sur un ton tout de colère contenue.

Ils s'introduisirent dans le *scriptorium* désert. Cornebulle, le premier, aperçut le sac délaissé dans un coin comme un vieux croûton de pain oublié derrière une malle. Se précipitant, il attrapa la besace de toile, qu'il jeta sur son dos. Puis, tout aussi rapidement que subrepticement, les deux compagnons quittèrent les lieux.

Après avoir longé le couloir menant au réfectoire, ils réussirent à franchir le jardin aux abeilles et à s'éclipser par la petite porte latérale. Ouf ! Ils étaient rendus à la rue, sains, saufs et prêts à honorer leur mission.

Sans mot dire, ils se précipitèrent à l'écurie du relais, où ils récupérèrent leurs chevaux, qu'ils poussèrent au galop...

II. Le gai guet-apens

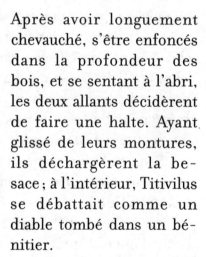

Après avoir longuement chevauché, s'être enfoncés dans la profondeur des bois, et se sentant à l'abri, les deux allants décidèrent de faire une halte. Ayant glissé de leurs montures, ils déchargèrent la besace ; à l'intérieur, Titivilus se débattait comme un diable tombé dans un bénitier.

— Que fait-on, sire ? Il risque de se libérer et de s'enfuir sans que nous le voyions !

La phrase de l'écuyer à peine achevée, Philibert ramassa une branche robuste et asséna un grand coup de gourdin à Titivilus.

— Voilà ! Il n'embêtera plus personne à présent ! Alors ligotons le sac à double tour de corde et allons de ce pas, et même de l'autre, livrer le tout à Merlin… Mais pour le moment, faisons une sieste !

Ayant bien saucissonné la musette contenant l'intrus, ils se restaurèrent ; pendant que Philibert sacrifiait à un somme, Cornebulle sortit son matériel d'écriture et, bien installé sur un tronc d'arbre, son encrier à ses côtés, ses feuillets sur les genoux, il reprit son ouvrage, jusqu'au réveil de son héros. De belle humeur, car leur mission était accomplie, ou presque, celui-ci sortit sa vielle et entama quelques lais.

Lorsqu'il fut lassé d'écouter sa si belle voix, il posa son instrument et vint se glisser derrière son écuyer pour lire par-dessus son épaule. Après un silence attentif, il osa poliment :

— Si je puis me permettre, cher biographe, il serait peut-être bon qu'ici ou là tu songes à soigner ta ponctuation ?

Cornebulle souffla sur le feuillet pour faire sécher l'encre. Après quoi, d'un ton facétieux, il questionna :

— Et qu'est-ce qui vous ennuie, sire, dans ma ponctuation ?

— C'est que… euh… Elle est un peu… composite.

Soucieux de prouver la justesse de son propos, le prince vint s'asseoir à côté de son compagnon d'aventure ; se saisissant d'une chute de parchemin, d'un calame, qu'il trempa dans l'encrier, il écrivit : « Cornebulle dit Philibert est un crétin. »

À son écuyer, qui lorgnait par-dessus son avant-bras d'un air dubitatif, le chevalier expliqua d'une petite voix doucereuse :

— Fidèle ami, prenons cette succession de mots... À présent, vois, j'y ajoute la ponctuation. Cela nous donne, dans le premier cas : « Cornebulle dit : Philibert est un crétin »... Et dans le second — qui me semble plus judicieux : Cornebulle, dit Philibert, est un crétin »... Cela suffit-il à illustrer l'importance de la ponctuation ?

L'autre lui retira minablement le feuillet et le calame des mains. Sans mot dire, mais la mine un rien boudeuse, il rangea son matériel de calligraphe dans sa sacoche.

Après qu'ils eurent éteint le feu de camp, rangé leurs effets, ils remontèrent en selle...

Soudain, et alors qu'ils s'endormaient pratiquement sur leurs montures, ils furent surpris par une pluie de farfadets tombés de mille cachettes dans les arbres. Profitant de l'effet de surprise, les gnomes désarçonnèrent les deux cavaliers et les jetèrent à terre sans ménagement. L'un d'eux se mit à vociférer dans un galimatias inconnu.

— C'est quoi ce charabia ? Quand il parle, on dirait qu'il vomit, grognassa Cornebulle. D'ailleurs, regardez cet énergumène informe : je suis sûr que c'est en voyant sa tête qu'on a inventé le heaume.

Il se pencha, renifla avec dégoût :

— Et vous sentez l'odeur ? Ils doivent se laver une fois tous les jamais !

Le plus vieux, celui qui avait le visage couvert de verrues et le cheveu rare, s'approcha. Dans un élan où le courage se mêlait à une stratégie bien huilée, Philibert recula d'un pas. Le farfadet lança un désordre de gargouillis et tous ses amis se mirent à glousser de rire.

Résolument, et bien qu'il n'eut pas davantage compris ce curieux baragouin, le chevalier posa la main sur son épée et avança d'un pas. Cornebulle intervint :

— Je vous en prie, sire, reculez ! Ne risquez point votre vie avant que nous ayons accompli notre tâche ! Et puis, pensez à celle à qui vous avez ravi le cœur ! Allez-vous lui infliger de porter votre deuil avant même que vous ayez épousé la future veuve ?

— Tu as raison mon ami et je vénère tes sages paroles : absolument incompréhensibles, mais pleines de bon sens.

Ce compliment l'ayant rendu téméraire, et impatient d'en découdre pour rentrer chez lui au plus tôt, Cornebulle, qui n'aurait jamais songé à sauter par-dessus un grillage auparavant, sauta par contre sur l'occasion, trop heureux de l'aubaine que le destin mettait entre ses mains. Brandissant son épée, il s'écria :

— Laissez-nous passer, tristes personnages hirsutes, nous sommes les émissaires de l'Enchanteur Merlin. Et tout d'abord, toi, le malpoli, décline ton identité ! Tu t'appelles comment ?

— *Reumcheum alabégouni !* vociféra le farfadet.

Cornebulle pouffa et, moqueur, répondit :

— Très joli prénom !

L'autre cracha au loin un postillon gros comme un hérisson... de la même couleur aussi.

— C'est pas mon prénom, peau de banane ! Je te disais : « donnez-moi ce sac ou je vous découpe en rondelles comme deux saucisses que je piquerai ensuite de la pointe de mon couteau avec la rage d'un affamé » !

Tout en tirant à lui le sac contenant Titivilus, l'écuyer s'abasourdit :

— Slurp ! Tout ça en si peu de syllabes... C'est quoi, cette langue ?

— La nôtre : le farfadesque !

Cornebulle ouvrit grand la bouche pour répondre, mais l'autre ne lui en laissa pas le temps.

Sur un mot de lui, ou plutôt un grognement, tous ses acolytes se ruèrent sur les deux arrivants. On les bastonna et on les ligota dos à dos.

Le boutonneux s'assit près d'eux. D'une main fébrile, il ouvrit la bourse qu'il avait confisquée à Philibert, compta les pièces. Les autres s'étaient amassés autour de leur chef, qui procéda au partage du butin.

— Mais c'est notre argent! Gagné à la sueur de nos fronts! Vous n'avez pas le droit! objecta Cornebulle.

— À la sueur de vos fronts? Je n'ai jamais vu un prince travailler, moi, au point de suer du front... C'est plutôt le front de vos serfs qui a sué, non?

Cette insolence et ce ton déplurent fortement à l'écuyer. Non mais, pour qui se prenait-il, ce dégorgeoir puant et hideux?

— Peu importe! Il a été gagné à la sueur du front de quelqu'un, même si je ne sais pas de qui, et vous n'avez pas le droit de nous en déposséder! C'est du vol!

— Voler un riche, ce n'est pas du vol, puisque ça va servir à rendre un pauvre moins pauvre! Disons que je suis un peu le Robin des bois de ces bois!

Cornebulle réfléchit longuement avant de se calmer et de retrouver un semblant de sourire énigmatique :

— Mais si vous dépouillez un riche pour donner à un pauvre... le riche devient pauvre et le pauvre devient riche, non ?

— Euh... oui, on peut voir ça comme ça, répondit le farfadet.

Le sourire s'étira sur le visage de Cornebulle, qui poursuivit d'une voix faussement onctueuse :

— Donc, si je comprends bien, maintenant c'est vous qui êtes riches et nous qui sommes pauvres...

Le gnome souleva un sourcil, jeta une œillade à ses acolytes, se gratta le bout du nez avant de consentir :

— Euh... oui, on peut dire ça comme ça.

Un sourire de triomphe fendit cette fois le visage de Cornebulle, d'une oreille à l'autre. Il se serait frotté les mains de plaisir si elles n'avaient été attachées dans son dos. Il alla plus loin dans son raisonnement, le ton sournois :

— Donc, là, pour rétablir une injustice, le Robin des bois de ces bois que tu es devrait te confisquer cet argent, puisque tu es riche, et nous le distribuer à nous deux, qui sommes devenus pauvres !

Tous les farfadets s'entreregardèrent, interloqués.

— Il a raison, chef, lança l'un d'eux, la larme à
l'œil.

Dans un élan de regret, il prit d'ailleurs délica-
tement la bourse des mains du chef pour la poser
humblement aux pieds de Philibert.

Le boutonneux bondit.

— Mais attendez ! Maintenant c'est vous qui êtes
riches et nous qui sommes redevenus pauvres !

Pris à son propre piège, Cornebulle resta bouche
bée. Sans mot dire, le gnome qui avait posé la bourse
aux pieds du chevalier la ramassa et alla la remettre
entre les mains de son chef. Animé par l'agacement
de la défaite, l'écuyer allait ouvrir la bouche pour
riposter lorsque le chef du groupe hurla :

— Ça suffit avec cet embrouillamini ! Le butin
est pour nous et tant pis pour les pauvres, vous
n'aurez qu'à dépouiller un autre riche en chemin !
Chacun se débrouille avec sa pauvreté !

Tandis que Cornebulle cherchait à interpréter
la tournure, le boutonneux ramassa le gros sac
contenant Titivilus, prêt à tirer sur la corde qui
en étranglait l'encolure.

— Non ! Ne fais pas ça ! supplia Philibert.

L'autre lui jeta un œil torve.

— Et pourquoi, dis-moi ? Aurais-tu peur que je devienne TRÈS riche ?

— Ce n'est pas du tout ça… Il n'y a pas d'argent là-dedans… En fait, dans ce sac est enfermé un démon…, avoua Cornebulle.

Le gnome tâta le sac.

— Hum… Il me semble avoir les fesses bien molles, votre démon ! Voyons voir à quoi il ressemble !

À nouveau il prit la cordelette entre le pouce et l'index, prêt à tirer.

— Non ! Je t'en conjure ! Par toutes les verrues qui recouvrent ton visage, ne fais pas ça ou ce sera la fin du monde…

Le gnome tâta encore le sac, dubitatif, avant de hausser les épaules avec agacement.

— Vous me racontez des histoires à faire voler des coquecigrues ! Je ne sens ni tête, ni bras, ni pieds, ni queue fourchue de diable là-dedans !

— C'est parce qu'il est invisible ! ajouta Cornebulle.

Sans s'en laisser conter davantage, le boutonneux tira le lien ; les deux amis fermèrent les yeux… Silence… rien ne se passa.

— *Ardalouda balabindjou !*

À ces mots, les autres farfadets se précipitèrent sur les deux prisonniers et coupèrent leurs liens.

Interloqués, les deux compagnons regardèrent le terrible chef, qui leur hurla :

— *Baladanou kiromachouka !*

— Euh… Vous pouvez ajouter les sous-titres, noble boutonneux ?

— J'ai dit : « déguerpissez de ma vue ! Espèces d'abrutis transportant un sac vide ».

Sac qu'il jeta à leurs pieds. Béant, vide, oui : il était vide et vide il était ! Ce qui glaça le sang des deux comparses.

Sans attendre leur reste, ils ramassèrent la musette, enfourchèrent leurs montures et partirent au galop comme s'ils voulaient semer leur ombre.

Lorsqu'ils eurent la certitude que tous les diables à leurs trousses étaient morts, sinon de vieillesse, au moins d'épuisement, ils consentirent à s'arrêter. Ils avaient failli à leur mission, Titivilus leur avait échappé ! Et plus de potion ! Et surtout, plus d'idée. Car où retrouver à présent le diable des fautes ? Si la réputation de Merlin était anéantie, leur avenir à eux l'était tout autant. Adieu la cour, l'amour de Béatrice, la gloire, les honneurs, l'armure étincelante, la légende qui traverse les siècles… Ils venaient d'atteindre le fond, il n'y avait plus rien à creuser…

III. Un plan pas plan-plan

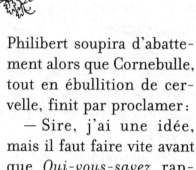

Philibert soupira d'abatte-
ment alors que Cornebulle,
tout en ébullition de cervelle, finit par proclamer :

— Sire, j'ai une idée,
mais il faut faire vite avant
que *Qui-vous-savez* rap-
porte sa cargaison de fautes
au *Diable-d'en-bas* !

— Je suis prêt à tout
essayer, même une idée
venant d'un cerveau aussi
flapi que le tien ! Mais
comment faire ? Si tu m'en
parles, et si *Qui-tu-sais* est
dans le coin, il entendra
nos propos et donc saura comment déjouer
notre piège…

Cornebulle ne fut pas peu fier de stupéfier son compagnon de quête ! Tout sourire, il se tapota la tempe avec son index :

— C'est qu'il y en a là-dedans ! J'ai pensé à tout ! Vous voyez cet arbre creux ?

Hébété, ne comprenant pas en quoi un tronc allait leur être utile, Philibert glissa de sa monture et rejoignit son accompagnant jusqu'à l'embrasure de la souche :

— Regardez, il y a si peu de place que si nous réussissons à nous y glisser ensemble, plus d'espace pour *Qui-vous-savez* et alors il ne pourra pas écouter ce que je vous murmurerai à l'oreille.

Peu convaincu, mais n'ayant pas de meilleure idée à proposer pour l'heure, Philibert se faufila le premier dans le tronc évidé. Après qu'il y eut casé ses membres comme il le put, Cornebulle s'y insinua à son tour. Le chevalier soupira de déplaisir, se demandant comment il pouvait écouter les idées aussi saugrenues de son écuyer. Ce dernier, tout à son enthousiasme, commenta :

— Sire ! Sire ! J'entends battre votre cœur tellement nous sommes pressés l'un contre...

— Suffit Cornebulle et presse-toi plutôt de me confier tes desseins.

— Mes dessins, sire ? Mais je les ai laissés à l'abbaye de Paimpont ! C'est de mon plan que je voulais parler !

Exaspéré, Philibert prit la main de son écuyer dans la sienne, prêt à lui tordre les doigts. Mais il garrotta son envie et écouta son compagnon d'aventure, qui lui murmura son idée à l'oreille ; elle se résumait en une improvisation de la dernière chance : comme ils n'avaient plus de potion pour voir Titivilus, ils allaient faire sans ; Cornebulle s'installerait sur l'herbe, sortirait son ouvrage de calligraphie, commencerait à rédiger, l'air de rien... Forcément, Titivilus viendrait se jucher sur son épaule pour guetter la faute. Mais lui, le biographe, s'appliquerait à écrire les mots les plus longs de la langue française, ce qui obligerait le diablotin à décortiquer les mots, donc à prendre son temps pour lire, à se concentrer sur l'orthographe. Il resterait donc longtemps sur l'épaule de l'écuyer et ainsi, aux aguets, Philibert aurait tout loisir de lui jeter le sac sur la tête pour l'y enfermer, comme la fois précédente...

— Mais comment savoir sur quelle épaule il sera ? Car sans vouloir te vexer, je te rappelle que tu en as deux, d'épaules ! Si je me jette sur la mauvaise, notre plan tombe à l'eau ! contrecarra le chevalier.

— Vrai ! admit Cornebulle. Il faut donc que je n'aie qu'une épaule libre !

Leur plan adjugé faute de mieux, les deux acolytes s'extirpèrent de leur antre avec autant de peine qu'ils y étaient entrés. D'un air dégagé, et tout en sifflotant, l'écuyer défit les sacoches contenant le nécessaire au repas, prit le sac destiné à Titivilus, le tendit à Philibert et lança, tout guilleret :

— Sire, il est l'heure de nous restaurer mais les brigands nous ont délestés de nos victuailles. Pendant que vous irez chasser le daim sauvage, je vais vous attendre ici et poursuivre vos mémoires… Tenez, prenez donc cette besace…

Philibert, qui n'avait pas saisi l'allusion, considéra le sac de toile.

— Parce que tu t'imagines que je vais réussir à faire entrer un daim entier dans ce…

Un coup de coude, un clin d'œil complice et Philibert comprit : c'était un message codé ! Répondant au signe de son compère, il attrapa son arc et ses flèches et s'éloigna en s'écriant :

— Tu as raison l'ami, il fait faim et pour sûr qu'un daim, à la fin, calmera notre faim !

Étalant une couverture, Cornebulle s'y installa en tailleur, ses feuillets sur les genoux. Ayant jeté tout un appareillage sur son épaule gauche pour n'y laisser aucune place, il trempa son calame dans l'encrier et réfléchit longuement avant de calligraphier, en tirant la langue d'application.

Tapi derrière un buisson, Philibert attendit longuement, sans savoir au juste à quel moment intervenir. Car après tout, comment savoir si Titivilus était bien là ? Et comment être certain que, malgré les couches d'objets posées sur l'épaule gauche de l'écuyer, Titivilus ne s'y trouvait pas ? Car le Malin est malin, c'est connu !

L'impatience gagna Cornebulle, qui se mit à fredonner :

— « C'est quand vous voudrez, m'amiiiii, car à force d'attendreuuuu, le troubadour aura épuisé ses idéééées. »

Saisissant que ce lai mal chanté lui était directement adressé, car on ne devient pas chevalier sans un minimum de perspicacité, Philibert sortit du bosquet sur la pointe des pieds, s'approcha l'air de rien de l'endroit où se tenait le calligraphe et, de but en blanc, jeta le sac béant sur l'épaule droite de son écuyer.

Vite, ils se ruèrent sur la masse qui se débattait et parvinrent à fermer le sac à double tour à l'aide d'une grosse corde.

— On a réussi ! cria Cornebulle en assommant le diablotin à coups de manuscrit.

Puis, ensemble, ils tombèrent sur leur séant, s'allongèrent sur le dos, les bras en croix, et se mirent à glousser de bonheur. Le soleil brillait au-dessus de leurs têtes, le vent soufflait dans les branches, les oiseaux chantaient, l'onde aussi, et eux étaient soulagés !

Ils se redressèrent enfin, comblés de n'avoir plus d'autre urgence que celle de faire une pause.

Laissant Cornebulle leur concocter une petite collation, Philibert ramassa les feuillets tombés au sol dans la bataille et se fit un plaisir de lire ce qui les avait sauvés du déshonneur. Il se déconfit, releva les yeux sur son biographe, l'interpella, secoua le vélin devant son nez :

— C'est quoi, ça ?

Cornebulle croqua une pomme, vint s'asseoir près de son maître avec l'aisance de celui qui vient de sauver le monde. Il lut à haute voix, à l'endroit que le chevalier pointait de son ongle sale :

— « Le noble et beau Philibert, qui comme chacun ne le sait pas est atteint d'hippopoto-monstrosesquippedaliophobie… »

Voyant l'air défait de son maître, il expliqua, tout fier :

— C'est tout simplement le mot savant qui désigne la peur des mots trop longs, sire.

Perplexe, la bouche en gobe-mouches, Philibert se replongea dans sa lecture. Immanquablement, il releva à nouveau des yeux interrogateurs sur son compagnon. Celui-ci lut :

— « ... Mais également, et ce depuis son plus jeune âge, d'apopathodiaphulatophobie... »

Trop heureux de tenir le fil du discours et de surpasser le maître, il étala sa science sur un ton patelin :

— L'apopathodiaphulatophobie, sire, est... euh... euh... le mot médical qui signifie « peur de la constipation ».

— J'ignorais que je souffrais d'apopato-machinchose, comme tu dis ! Ne voudrais-tu pas mon poing sur le « i » par hasard pour t'aider dans ton art ?

Navré de voir l'accueil réservé à son idée de génie, Cornebulle arracha littéralement le manuscrit des mains du héros :

— Cachez votre joie, sire ! Vous me moquez tous les deux jours, me promettant de m'acheter une cervelle toute neuve, mais en attendant je vous rappelle tout de même que ce qui nous a permis d'attraper Titivilus est MON idée !

Il claqua le manuscrit pour le refermer, ce qui fit sursauter Philibert.

Regrettant son emportement, car au fond il n'avait pas eu de meilleure idée et vu que, même saugrenue, celle de l'écuyer leur avait permis de regagner foi en la vie, le chevalier lui tapota l'épaule et s'excusa. Une chose lui échappait tout de même : comment Cornebulle pouvait-il connaître des mots aussi longs et les écrire sans la moindre faute alors qu'à côté de ça il écrivait « elle l'attendit sans se *lacer* » ou « l'étau se *ressert* » ? Vraiment, cet écuyer restait une énigme pour lui...

Voyant que toute colère avait disparu du visage de Cornebulle, Philibert regarda le ciel :

— Prenons quelque repos à présent car demain, au chant du coq, nous nous mettrons en route pour rapporter notre précieux butin à Merlin.

Fort de son nouveau statut de pourvoyeur de la meilleure solution, l'écuyer s'enhardit dans la taquinerie :

— Euh... *au chant du coq*, sire... nous sommes en pleine forêt, là, et je doute qu'un coq se soit égaré dans les parages !

Le ton, espiègle, agaça Philibert, qui rétorqua non moins malicieusement :

— Tu as raison, fidèle compagnon ; alors disons : aux premiers cris du soleil ?

Cornebulle alla ranger son manuscrit en grognassant puis alluma un feu pour y faire cuire des racines sauvages. Après qu'ils eurent partagé des fruits des bois, ils s'installèrent pour la nuit.

« Skrrrtch… skrrrtch… skrrrtch… »

Philibert, qui s'était endormi, ouvrit un œil, puis l'autre, tourna la tête dans la direction d'où venait ce grattement quasi angoissant… Dans une atmosphère studieuse et concentrée, son biographe biographiait.

Le chevalier s'assit sur son séant et allongea les bras vers le feu, qui crépitait joyeusement dans la nuit noire.

— Je vois que les idées fusent, vu la ferveur avec laquelle tu noircis les pages.

Cornebulle releva à peine la tête mais répondit malicieusement :

— Non, sire, pas avec de la ferveur mais avec de l'encre.

— Je suis mort de rire à l'intérieur ! repartit Philibert tout en se mettant sur pied.

Il s'approcha de son écuyer et lut :

— « Nous étions assaillis de monstres hideux et de faces de gargouilles, les uns peignés comme des dessous de bras les autres comme des goupillons usés ; ils étaient pour la plupart recouverts de poils comme des paillassons et habillés de vêtements qui n'ont de nom dans aucune langue chrétienne… »

Dis donc, l'ami, tu n'y vas pas avec le dos de la plume! interjeta-t-il.

Tout fier de l'honneur qu'on lui faisait, Cornebulle posa son calame, souffla sur le dernier mot qu'il venait d'écrire pour faire sécher l'encre, puis se relut :

— « Philibert était seul avec sa *Béatrice.* »

— Ma Béatrice ? Mais elle est restée en forêt de Brocéliande.

Le calligraphe pouffa, pas peu fier de sa repartie.

— Pas celle-là, sire, l'autre !

Voyant la mine déconfite de son compagnon de quête, le biographe expliqua :

— Je parle de votre épée ! Comme Roland de Roncevaux avait sa *Durandal,* Charlemagne sa *Joyeuse,* ou le roi Arthur son invincible *Excalibur,* j'ai pensé que votre épée aussi devait porter un nom, gravé sur la lame... Pour le moment j'ai mis « *Béatrice* » mais si vous voulez, je peux en mettre un autre... Bertrade par exemple ?

— Ah non ! Pas celui de ma mère !

Se laissant bercer par une douce rêverie, Philibert sourit béatement puis approuva l'idée de son écuyer. Il se pencha avec curiosité et poursuivit silencieusement la lecture :

— « Philibert était seul avec sa *Béatrice,* seul perdu dans une marée humaine de barbares menaçants. Nous, embusqués derrière le rempart qu'il faisait de son corps pour nous protéger, attendions tremblants. Désespérément. Anxieux. Inquiets. Tourmentés. Chagrinés. » Pourquoi « nous » ?

— Sire, ça fait mieux pour votre légende que de dire que vous avez commandé une armée plutôt que moi tout seul !

Fixant un instant son compagnon de route, et se ralliant à son idée, Philibert reprit sa lecture là où il l'avait laissée :

— « Au point que nous produisîmes quelques tonnes de rognures d'ongles en peu de temps… Il faut dire que l'entretien entre les chefs des deux clans dura près de quatre quarts d'heure. »

Philibert releva à nouveau la tête :

— Tu aurais peut-être pu faire plus simple et remplacer *quatre quarts d'heure* par *une heure*, non ?

Cornebulle posa sur son maître ses yeux de ouistiti.

— Euh… sans vouloir vous vexer, le résultat est le même !

Philibert posa sa main robuste sur l'épaule de son fidèle écuyer :

— Allons cher ami, au lit maintenant. Demain, il fera jour et, c'est bien connu, à la lumière du jour on y voit plus clair ! Et je ne voudrais pas que nous perdions quinze minutes de sommeil en nous couchant un quart d'heure plus tard !

Se sentant encore moqué, l'écuyer rumina son déplaisir et s'exécuta en silence. Ils se glissèrent chacun sous sa couverture, à proximité du feu de camp.

— Sire ?

« Sire » grinça des dents :

— Je sens que tu vas encore piétiner mes chances de sommeil…

Son compagnon d'aventure passa outre la remarque, tout absorbé qu'il était par ce qui le turlupinait :

— Le gnome a parlé de regarder voler des coquecigrues… ça ressemble à quoi ce bestiolo ? S'agit-il d'une coccinelle avec une tête de grue ?

— Quoi ? Toi qui connais des mots longs comme le bras, comme hippopo-machinchose, tu ignores ce qu'est une coquecigrue ?

Voyant l'air ahuri de son compagnon, vexé que son seigneur le tourne ainsi en dérision, Philibert adopta un ton plus humble pour expliquer :

— Une coquecigrue est synonyme de sornette ; *débiter des coquecigrues* signifie inventer des histoires ; quant à *regarder voler des coquecigrues*, c'est une autre manière de dire « croire à des contes à dormir debout ».

Contenté, Cornebulle se glissa sous sa couverture.

— Heureusement ! Parce que si ça avait été une coccinelle avec une tête de grue, je ne vois pas comment elle aurait pu s'envoler avec ce petit corps pas plus gros qu'un pois chiche et cette grosse tête d'oiseau !

— Un mot de plus, Cornebulle, et je sens que ta tête et mon poing vont faire très mauvais ménage !

Mâchouillassant son déplaisir, l'écuyer s'allongea et ne bougea plus.

Les ronflements des deux braves épuisés couvrirent une fois encore le cri de l'alouette qui turlute, de la bécasse qui croûte, de la bécassine qui croule, de la buse qui piaule, du butor qui butit, de la caille qui cacabe, du chat-huant qui chuinte, du coq de bruyère qui dodeldire, de la corneille qui corbine, du coucou qui coucoule, de la gelinotte qui glousse, de la marmotte qui siffle, et bien d'autres bruissements d'animaux qu'il serait une fois encore trop long d'énumérer ici...

IV. Lueur de peu d'espoir

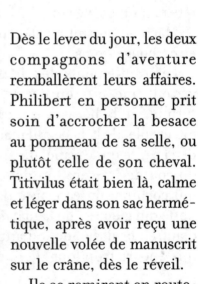

Dès le lever du jour, les deux compagnons d'aventure remballèrent leurs affaires. Philibert en personne prit soin d'accrocher la besace au pommeau de sa selle, ou plutôt celle de son cheval. Titivilus était bien là, calme et léger dans son sac hermétique, après avoir reçu une nouvelle volée de manuscrit sur le crâne, dès le réveil.

Ils se remirent en route ; il leur restait à parcourir le chemin du retour, celui même qui les conduirait tout droit vers la maison de l'Enchanteur.

Ils chevauchèrent ainsi une bonne partie de la matinée. Une rivière traversa leur route, qu'ils traversèrent à leur tour ; mais à peine étaient-ils parvenus sur l'autre rive qu'une écharpe de brume les emprisonna.

— Doux prince, sans aller jusqu'à me faire du souci, ce brouillard qui nous embrouille soudainement la vue me semble suspect... Croisons les pouces pour qu'il ne nous arrive rien de fâcheux !

— Dis-moi, l'ami, quand tu remues la tête, est-ce que ça ne fait pas « floc-floc » à l'intérieur ?... Car je te signale que c'est les doigts que l'on croise, pas les pouces !

L'écuyer regarda un instant ses mains avant de rétorquer :

— Je croise ce que je veux, doux prince, si vous le permettez !

Ils s'enfoncèrent dans les vapeurs de plus en plus denses. Soudain, Cornebulle pointa le doigt en s'écriant :

— Regardez, là : on distingue un lumignon !

Main en visière, Philibert scruta l'horizon à son tour.

— Tu as raison, allons voir si cette lueur est une lueur d'espoir...

Ils avancèrent, guidés par ce seul halo, qui les emmena jusqu'à une petite maison isolée et bien modeste.

Ils frappèrent à la porte, tout en jetant des regards terrorisés sur les contours de plus en plus confus. Une vieille femme les accueillit :

— Entrez vite les amis, il fait nuit noire dehors et les loups rôdent...

Transis de froid, et voyant couver un réconfortant feu de cheminée, les deux compagnons ne se firent pas prier, d'autant qu'un fumet délicat leur taquinait les narines. Sur la table dressée ils remarquèrent trois couverts. Pensant être importuns, Philibert s'excusa, prêt à prendre congé.

— Mais c'est vous que j'attendais, répliqua la vieillarde.

Les deux venants échangèrent un regard méfiant ; Cornebulle prit la parole, le ton soupçonneux :

— Vous attendiez notre venue ? Et comment avez-vous su qu'elle allait venir, notre venue, et nous avec ? Liriez-vous l'avenir ?

— L'avenir est à venir et ce qui est à venir n'est pas encore là, alors comment savoir de quoi il sera fait, même si l'avenir de chacun est déjà commencé à l'instant présent ?

Philibert pouffa et, à l'adresse de Cornebulle, il souffla :

— Tu ne m'avais pas dit que tu avais de la famille par ici !

Son écuyer rabattit rageusement les pans de sa cape sur son ventre et grognonna, de mauvaise grâce :

— Vos moqueries, je m'en cire, sire !

Tandis qu'ils chicanaient, la vieille femme tournait autour d'eux en les observant avec ostentation, ce qui n'échappa pas à l'écuyer.

— Que nous veut-elle ? souffla-t-il à Philibert, soudain inquiet de ce manège.

Pour dissiper leurs doutes, leur hôtesse les invita à prendre place autour de la table, au milieu de laquelle elle posa la marmite. Cornebulle en huma l'arôme flatteur et se laissa servir.

Les coudes sur la table, la femme trempa son pain dans le potage et se mit à s'en délecter avec de grands « slurmp » et « splach », leur jetant de temps à autre un œil torve ; puis elle se leva, ouvrit une armoire d'où elle sortit une bouteille.

— Je gardais ce vin épicé pour les grandes occasions ; et comme vous êtes des invités de marque…

La vieille remplit la coupe de ses convives, flattés de l'accueil qui leur était réservé. Après avoir trinqué avec eux, elle les regarda avaler le délicieux breuvage en trempant ses propres lèvres dans sa coupe.

Enfin, la tête alourdie par le vin, et la fatigue de la chevauchée aidant, les deux compagnons manifestèrent leur envie de dormir. La vieillarde leur proposa son propre lit, installé tout près de la cheminée. Ils s'excusèrent poliment, n'osant pas prendre sa couche à la femme. Mais elle, décidée, avança une chaise à bascule près du feu et s'y installa.

— N'ayez crainte, il m'arrive souvent de m'endormir de cette manière. J'aurai tout loisir de me reposer demain lorsque vous serez partis, et vous avez besoin d'une bonne et vraie nuit de repos pour accomplir au mieux votre mission. Après tout ce que vous m'avez raconté de vos aventures durant le repas, je vous considère comme des héros.

Un vague refus de politesse et les deux compagnons, assommés par la fatigue, finirent par s'allonger côte à côte sur le lit. La vieille posa ses pieds sur la pierre chaude de l'âtre et se couvrit jusqu'en dessous du menton à l'aide d'une épaisse couverture.

Bientôt, bercés par les crépitements des bûches, ils sombrèrent dans un profond sommeil ; et leurs ronflements couvrirent le chacal qui raule, le chat qui miaule, l'agneau qui bêle… Non… En fait, il n'y avait aucun bruit hormis les ronflements de Philibert et de Cornebulle…

Au petit jour, Cornebulle vint se coller à Philibert, qui le repoussa en bougonnant :

— Mais que fais-tu, espèce d'attardé du bocal?

— J'ai froid sire, vous avez pris toute la couverture...

Le chevalier allait l'éloigner d'un grand coup de pied lorsqu'il se ravisa :

— Tu as raison, il fait un froid de pingouin ici!

— Vous avez l'air d'aimer les pingouins, sire ; j'ignore même si vous en avez déjà vu!

— Ensuqué des steppes, ce n'est qu'une expression imagée...

— Peut-être! Mais moi, lorsque je dis « un froid de canard », des canards, au moins, j'en ai déjà rencontré.

Philibert se demanda pourquoi il discutait de bon matin avec cette éponge imbibée de bêtises et suintant de questions stupides. Revenant à la réalité, et à tâtons, il chercha la couverture... en vain... sa main toucha... de l'herbe...

D'un bond, il se redressa :

— Par tous les Titivilus de l'enfer!

Cornebulle s'assit à son tour sur son séant.

— Mais... mais... mais...

Ils jetaient autour d'eux des regards hébétés : la maison, la vieille, la cheminée, leur lit, et jusqu'à leurs vêtements, tout avait disparu. Ils étaient là, seuls, assis sur l'herbe, au milieu de nulle part.

— Nos affaires, sire, elle les a volées ! Nous avons été bernés, volés, dépossédés, trompés, écorchés, dénudés, exploités, dépiautés, équarris, déplumés comme des œufs, tondus comme des champignons...

— Suffit, tais-toi, tu m'empêches de réfléchir ! fulmina Philibert.

Il se mordait les lèvres, furieux de cette nouvelle déconvenue, étourdi par l'incohérence de la situation : hier conquérants et au bout de leurs peines, ce matin dépouillés et affalés sur l'herbe comme deux oisillons tombés du nid.

Un long silence s'installa ; un silence tel que l'on entendait les feuilles frémir, les fleurs se flétrir et eux blêmir.

— Avez-vous un début de commencement de semblant d'idée, même approximative, sire ?

— J'ai beau me creuser les méninges jusqu'aux amygdales mon ami, je ne trouve que le néant !

Un nouveau silence s'installa, dont rien ne sortit.

Au tour de Cornebulle de réagir :

— Ce n'est pas en restant ici, assis à pleurer sur notre sort, attendant que nos cheveux et notre barbe poussent, que nous réglerons notre problème ! Je propose de reprendre notre marche, sire, et de longer la rivière. Vous n'allez pas me dire qu'avec tous les êtres dont cette forêt est peuplée, on ne va pas croiser un gnome, un lutin ou un elfe quelque part! Et comme ils doivent bien connaître Merlin de près ou de loin, ce serait le diable si nous n'en trouvions pas au moins un qui nous aidera à retrouver Titivilus!

Philibert se dépoussiéra les vêtements, enfin résolu à réagir :

— Tu as raison! Sautons sur nos montures…

— Euh, je crois qu'on va surtout sauter dans nos chaussures, sire, car même les chevaux ont disparu! On peut dire que nous voilà au régime *sans selle* !

— Très drôle! Bon, à défaut de poulains, poulainons avec nos poulaines, mon brave!

Et ainsi, à moitié vêtus et à pied, ils se relevèrent, portés par leur seule détermination.

— On va de quel côté, sire? hasarda Cornebulle en tournant sur lui-même.

Philibert hésita, se disant que parfois le pile ou face, ça a du bon… Mais pour cela il eût fallu avoir une pièce, et même ça, ils n'avaient pas. Alors, tel le marin perdu en mer, il mouilla son doigt de sa salive, le dressa pour voir d'où venait le vent, puis pointa son index.

— Par là…

Et ils se remirent courageusement en route.

V. Le mystère, comme la forêt, s'épaissit...

Ils marchèrent longue-ment, croisèrent le cours d'un ruisseau que, cette fois-ci, ils ne traversèrent pas mais longèrent. Ils avaient faim, soif, froid, étaient fatigués. Lorsque, soudain, Cornebulle s'im-mobilisa. Là, devant leurs yeux, trois femmes, à ge-noux sur les galets, fai-saient leur lessive dans l'onde glacée. Leurs che-veux longs et gris pendaient, faisant écran à leurs visages. Les deux compagnons d'aven-ture s'approchèrent des lavandières.

— Ohé gentes dames ! Je me prénomme Philibert et voici Cornebulle, mon fidèle écuyer...

L'une d'elles, la plus vieille, releva la tête et leur adressa un sourire édenté tout en prononçant une suite de mots inaudibles à l'adresse de ses compagnes.

— Décidément sire, on baragouine tous les latins en ces lieux ! Il va falloir que je devienne multilinglotte ! grinça Cornebulle.

— Polyglotte, rectifia son camarade de chevauchée.

— Poli, je m'efforce de l'être en toutes circonstances, sire...

— En ce bas monde, il y a décidément les héros et les zéros, et en cela nous nous complétons bien toi et moi ! soupira Philibert, avant d'ajouter : Polyglotte veut dire qu'on parle plusieurs langues !

— Mais « multi » aussi, sire !

Le chevalier se demanda pourquoi, dans les moments les plus éprouvants, son compagnon venait broyer son espoir en des jours meilleurs avec ses questions ou ses remarques saugrenues ! Et surtout pourquoi lui, le héros Philibert, parlementait sur ces âneries avec tant de patience. Il se plia tout de même à son rôle éminent et répondit avec placidité :

— Certes mon brave ; mais « multilinglotte » n'existe pas encore dans notre belle langue !

Cela dit, et pour couper court à ce débat inutile, le chevalier finit de dévaler le reste du chemin qui les séparait des trois lavandières. Cornebulle l'imita et, arrivé à sa hauteur, lui tira la manche.

— Sire…

L'écuyer avait-il flairé quelque nouveau danger ? Philibert tourna la tête dans sa direction et écouta la suite :

— Mais alors, si je ne parle qu'une seule langue, je suis *unilinglotte* ou *solilinglotte* ?

Philibert soupira bruyamment puis grinça entre ses dents :

— C'est toi qui vas bientôt avoir mal à la glotte, lorsque mes mains enserreront avec courroux ton cou délicat…

Se libérant d'un coup sec, le chevalier finit de traverser le ruisseau en prenant aplomb sur les galets. Arrivé à hauteur des lavandières, et inventant une histoire de lettre importante à remettre à l'Enchanteur Merlin, il leur décrivit la vieille femme qui les avait reçus, leur avait volé tous leurs effets, dont la fameuse missive, et qu'il leur fallait absolument récupérer, « une question de vie ou de mort », précisa-t-il. Les trois femmes échangèrent un sourire avant que la plus vieille prenne la parole :

— Oui, en effet, nous connaissons cette vilaine femme et je puis vous indiquer où la retrouver. Mais il se fait tard, la nuit ne va pas tarder à tomber ; aidez-nous à tordre ces draps, que nous venons de laver, et après nous vous montrerons le chemin.

Toujours prompt à aider son prochain, et pressé d'en finir avec cette quête qui l'éloignait si long-temps de chez lui, Cornebulle s'avança. Il attrapa l'un des deux draps à un bout, la femme se saisit de l'autre. Elle lui offrit son sourire édenté.

— Nous allons le tordre, mais chacun procédant par l'opposé !

— Comment savoir si mon sens à moi sera ton opposé à toi ou inversement ? questionna l'écuyer.

Les trois femmes s'entreregardèrent, perplexes. Tout attentif, Philibert riait déjà intérieurement de l'expérience inoubliable qu'allaient vivre ces pauvres femmes : avoir affaire à un écuyer qui s'était fait liposucer le cerveau !

— Disons que toi, tu tournes dans le sens de l'est et moi de l'ouest.

Cornebulle lui offrit ses yeux de hibou :

— Euh… ton explication dépasse mon niveau de compréhension. Attends deux secondes, je reviens dans trois minutes.

— Non ! Ne lâche pas le drap ! prévint la vieille.

Alors, et alors seulement, l'écuyer vit une lueur sordide dans les yeux vitreux qui le fixaient; il prit peur car ce qu'il y voyait était pire que le néant, pire que les Enfers. Réalisant qu'il n'avait compté que deux draps alors que les lavandières étaient trois, il jeta sa part à la figure de la femme et lança tout à trac :

— Vite, détalons !

— Mais…, protesta le chevalier hébété, qui ne comprenait rien à l'affaire.

L'autre le tira par la manche sans ménagement et, sans attendre leur reste, les deux compagnons se mirent à courir aussi vite qu'ils le purent.

Lorsqu'ils s'arrêtèrent enfin pour reprendre leur souffle, Philibert reprit ses esprits :

— Peux-tu m'expliquer quelle mouche t'a piqué ?

— Aucune, sire, rassurez-vous, de toute manière les mouches ça ne pique pas ! Souvenez-vous du livre que je vous lisais les soirs d'hiver sur les légendes de Brocéliande… Je me souviens très bien de celle évoquant les Lavandières : ce sont des revenantes, qui ont élu domicile au bord d'une rivière du Val-sans-Retour. Elles attendent le passant et lui proposent de tordre un drap ; en fait, l'imprudent qui s'y soumet ignore qu'il est en train de tordre son propre linceul et, s'il le fait, il entre dans le royaume des ombres pour ne jamais en revenir... Il y avait trois femmes, deux draps, donc deux linceuls.

Philibert dut reconnaître qu'il avait baissé la garde, qu'il s'était laissé endormir par son envie d'en finir au plus vite avec cette aventure et que, grâce à la perspicacité de son écuyer, ils l'avaient échappé belle.

Ils reprirent leur marche, sans savoir où se diriger exactement, mais soulagés d'avoir évité un nouveau danger, même si cela ne résolvait pas leur problème...

VI. Sombre lumière

L'attention de Philibert fut bientôt attirée par quelque chose, au loin, qu'il montra à son écuyer : une lumière, de l'autre côté d'un étang...

Cornebulle scruta à son tour les ténèbres avant de réagir :

— Ouais, ben, vous y allez tout seul parce que moi je ne me ferai pas avoir deux fois par les lumières et les zinzins allumés avec des vieilles sympathiques et des soupes bien chaudes...

— Qu'avons-nous à perdre ? Nous n'avons plus rien à nous faire voler.

— Vous avez raison, sire ! Et puis j'ai tellement faim qu'on doit entendre mon estomac crier famine à plusieurs lieues à la ronde !

— Je te rassure, c'est un hurlement bien silencieux… Ce qui est un bel oxymore !

Intrigué de voir son maître rire en pareille circonstance, Cornebulle demanda :

— Qui est cet Oxy qui est mort, sire ?

— Personne, mon brave : un oxymore, c'est une figure de style qui emploie deux termes contradictoires : un hurlement silencieux, un cri muet, hâte-toi lentement, une sombre clarté, un géant minuscule…

— Quel pétillement humoristique, sire ! J'utiliserai des oxymores dans vos mémoires !

— Je m'attends au pire ! marmotta Philibert.

Le chemin s'enfonçait dans l'obscurité ; la pénombre, à couper au couteau, les obligea à ralentir le pas et à avancer à tâtons.

— Sire ? Sans aller jusqu'à dire que le souci est en train de me brouter la cervelle, n'avez-vous pas l'impression que, plus on avance, plus le lumignon s'éloigne de nous ?

— Au lieu de brouter aussi ma patience, suis la lumière et tais-toi.

Ils progressaient à présent dans l'obscurcissement le plus total. Peu à peu, ils eurent l'impression que les arbres prenaient l'apparence de silhouettes étranges et que le vent dans les branches produisait un étrange murmure... Ils se figèrent et écoutèrent ; le bruissement se transforma en chuchotements distincts : « Valohou... valohou... mailloux... mailloux... » Ils se pétrifièrent, sincèrement épouvantés.

Philibert se fit attentif à l'ombre qui les enveloppait comme un voile malfaisant. Le chemin s'étrécit à tel point qu'ils durent marcher l'un derrière l'autre.

Un manoir apparut bientôt à leurs yeux et les deux compagnons d'aventure s'en approchèrent avec défiance. La porte d'entrée était entrebâillée, le corridor éclairé.

— On sonne, sire ?

— C'est moi qui te sonne les cloches si tu touches à celle de la porte, prévint Philibert.

Subrepticement, ils pénétrèrent dans l'immense bâtisse. L'entrée, circulaire, éclairée de torches, s'ouvrait sur deux couloirs. Philibert prit l'initiative de s'avancer vers celui de droite, au hasard et sur la pointe des poulaines.

— Sire ? Êtes-vous certain de vouloir prendre cette direction ? murmura Cornebulle.

Le chevalier jeta un regard hésitant au couloir de gauche. Rien ne les différenciait et, en effet, il n'y avait aucune raison de préférer l'un au détriment de l'autre. Il fit volte-face et s'engagea dans l'autre couloir.

— Sire ? réattaqua Cornebulle.

— J'ai comme l'impression de savoir ce que tu vas me demander à présent, fidèle compagnon : finalement, pourquoi ce côté-ci plutôt que l'autre, n'est-ce pas ?

— Vous êtes époustouflant !

Philibert fit face à son compagnon, regarda à droite, puis à gauche, avant de proposer :

— Il y a deux couloirs et nous sommes deux. Peut-être pourrions-nous...

Des bruits de pas les firent tressaillir ; Cornebulle poussa Philibert au hasard de sa frayeur.

— Ah ça non ! Allez où vous voulez, je vous suis comme votre ombre !

Le son s'amenuisa, les pas s'éloignèrent avant de mourir dans les ténèbres. Dans le silence revenu, ils retrouvèrent leur respiration et reprirent leur avancée timide dans le corridor sinistre. Les torches n'éclairaient que des tronçons de couloir et la flamme dansante semblait donner vie à chaque objet éclairé par son halo : un chandelier, une console, une patère, se transformaient en monstres mouvants, prolongeant les ombres avant de les voir faiblir, vaciller, disparaître, mangés par l'obscurité. Encore des pas, derrière eux, qui les firent tressauter ; ils se cachèrent dans un coin sombre et attendirent, le souffle en suspens. Personne. Alors qu'ils scrutaient les ténèbres, ils entendirent un léger bruissement qui venait d'une pièce située au fond du couloir, et dont la porte était restée entrebâillée. D'un signe de tête, Philibert engagea Cornebulle à le suivre. La frayeur de l'écuyer était telle qu'il lui sembla marcher, non pas sur la pointe des pieds, mais sur la pointe des orteils ; s'il avait pu, il aurait même volé dans les airs pour être certain de ne faire vraiment aucun bruit !

Ils passèrent la tête par le chambranle au moment précis où minuit sonnait à l'horloge.

Dans l'immense salle à manger, où flambait un feu de bois, quatre squelettes, installés à la table massive, jouaient aux cartes.

Terrorisé par ce qu'il voyait, Cornebulle se mit à claquer des dents. Immédiatement, les têtes des squelettes se mirent à tourner sur elles-mêmes comme des girouettes agitées par un vent soudain.

Vite, Philibert saisit son compagnon d'aventure et le tira dans un recoin. Là, le souffle en suspens, ils attendirent. Un bruit de pas, qui encore les terrifia, puis plus rien.

Ils revinrent en arrière, prêts à fuir par la grande porte.

Une autre pièce, sur leur passage, était éclairée. Philibert et son acolyte s'y arrêtèrent.

Là, dans une cuisine spacieuse, installé à une table, un vieil homme comptait des pièces de monnaie. Il les ramassait sur un monticule situé sur sa gauche et les empilait en colonnes sur sa droite.

Au tour de Cornebulle d'entraîner Philibert dans un coin sombre et de lui murmurer :

— J'ai tout compris, sire ! Nous nous trouvons dans le manoir du Val-aux-Houx… En fait, cet homme est Mailloux, le fantôme compteur de sous ; il ne faut surtout pas le distraire ou il nous gardera à jamais prisonniers de ce manoir… Ses colocataires, si je puis dire, sont les squelettes joueurs de cartes, et aussi Barbelat, qui hante ces lieux. On l'entend souvent qui marche, mais quand on se retourne, il n'y a personne.

Ils avaient vu tellement de choses que plus rien n'étonnait Philibert.

— Bon, pour l'heure je préfère te croire sur parole. Il nous faut trouver des chevaux. Je ne sais pas où on va, mais j'en ai marre d'y aller à pied. S'il y a manoir, il y a écuries ! conclut le chevalier, qui précéda son compagnon jusqu'à la sortie.

L'air libre, même s'ils étaient plongés dans une obscurité totale, les soulagea. Ils partaient à la recherche de l'écurie lorsque, sur le chemin, ils aperçurent un chevalier, monté sur un cheval blanc, portant armure et tenant sa lance à la main.

— Viens! Allons demander notre route à ce gentilhomme...

Mais à mesure qu'ils approchaient, confiants, ils se liquéfiaient : le chevalier devenait laiteux, transparent par instants, et sa monture était fantomatique.

Cornebulle tira son maître dans un fourré.

— Sire! Sans vouloir vous assommer de mon pessimisme, je crois vraiment que nous sommes dans un lieu hanté! Même si je n'ai jamais vu de fantômes et que j'ignore si ça parle, si ça pète et si ça fait du bruit, je crois bien que celui-là aussi en est!

Le chevalier fixa le cavalier, dont les contours semblaient s'effilocher comme la brume sur la surface de l'étang avant de se réaffirmer dans une pâleur laiteuse.

— Qu'allons-nous faire pour nous échapper sans nous faire écharper, sire? s'impatienta Cornebulle.

— Dès que j'aurai trouvé une idée, tu seras le deuxième à le savoir, lui souffla l'autre, agacé d'être sans cesse interrompu dans sa réflexion.

Vexé, l'écuyer objecta :

— Le deuxième ? Et pourquoi pas le premier ?

— Parce que le premier, ce sera forcément moi, benêt !

Le temps de comprendre et Cornebulle se mit à glousser de rire avant de s'interrompre net, car Philibert lui ferma la bouche de sa main avant de l'attirer vers le bosquet.

Là, ils fendirent l'air à la vitesse de l'éclair et franchirent les bois sans se retourner. La nuit noya leurs ombres...

Se sentant enfin hors de danger, et n'y voyant goutte, les deux compagnons se couchèrent sur le sol, là où ils étaient.

Bientôt, leurs ronflements couvrirent les cris du pivert qui peupleute, du milan qui huit, de la buse qui piaule, du chat-huant qui chuinte, de la souris qui chicote, de la tourterelle qui caracoule, de la pintade sauvage qui cacabe, du merle qui flûte, et bien d'autres encore qu'il serait trop long d'énumérer ici...

VII. Feintes et défunts

Ils se réveillèrent aux premières lueurs du soleil, transis de froid faute d'avoir pu allumer de feu la veille au soir.

— Je commence à en avoir ras les couettes de cette mission ! protesta Cornebulle. Voilà deux fois que Titivilus nous échappe et en plus, à présent, nous ne savons même pas où le retrouver !

— Et moi ? Crois-tu que je sois heureux de me nourrir de racines alors que j'ai le cœur en papillote et que ma belle giroflée m'attend ? Pourtant, je me console en me disant que pour devenir un héros, il faut parcourir le monde en quête d'aventure ! « À vaincre sans péril, on triomphe sans gloire », avait dit le Cid.

L'écuyer massa ses pieds endoloris.

— Ouais, ben moi je dirais plutôt qu'« à vaincre sans péril, on prend moins de risques » !

Ils remirent leurs poulaines et, le cœur épuisé de tant d'aléas, ils se remirent en route.

— J'ai l'impression que mes deux pieds ont avalé une enclume, sire ! On marche sans fin alors que nous avons faim, on ignore où l'on va tout en sachant qu'on ne peut retourner bredouilles chez Merlin. De plus, on se croirait dans le triangle des Bermudas à tourner en rond de la sorte !

— Euh, je crois qu'on dit « le triangle des Bermudes » ! corrigea Philibert ; et là où nous nous trouvons, il s'agit plutôt du Val-sans-retour, si je ne m'abuse…

— Ouais, et pas de retour possible au Val-sans-Retour sans Titivilus !

Et ainsi poursuivirent-ils leur chemin.

Après de longues heures de marche, et au détour d'un sentier, ils aperçurent un village paisible. Cornebulle se réjouit, lui qui tout le jour avait rêvé d'une soupe épaisse. Mais son compagnon éteignit toute joie en lui, lui faisant remarquer qu'il n'y avait pas un être humain dans les rues. À y regarder de plus près, Cornebulle partagea l'avis de Philibert bien que, sur la tablette interne de chaque fenêtre, on vît pourtant briller la flamme d'une chandelle : quelqu'un avait bien dû les allumer !

Ils s'approchèrent. Philibert s'apprêtait à frapper à la porte devant laquelle ils étaient arrêtés par la volonté du destin lorsque celle-ci s'ouvrit toute seule...

— C'est mon avis, et je le partage avec moi-même : tout cela ne me dit rien qui vaille, murmura Cornebulle, tout horripilé.

Philibert barra ses lèvres de son index, enjoignant son compagnon à se taire. Ils entrèrent avec précaution, se dirigèrent vers la seule pièce éclairée. Là, et à leur plus grande stupeur, la vieille femme qui leur avait dérobé le manuscrit et le sac contenant Titivilus était penchée devant l'âtre, occupée à remuer les braises à l'aide de son tisonnier...

— Vous en avez mis du temps à me rejoindre..., leur annonça-t-elle sans faire montre de la plus petite surprise et sans même les regarder.

— Tu... tu nous attendais, femme, après ce que tu nous as fait ?

Elle s'approcha d'une étagère, en extirpa le manuscrit de Cornebulle et le brandit, contrariée :

— Je croyais m'approprier le *Grand Livre des Secrets* de Merlin et je n'ai trouvé dans ce grimoire que des stupidités dignes d'un âne bâté doublé d'une bourrique décervelée !

Cornebulle se précipita pour récupérer son bien ; la vieille femme le considéra avant de lâcher :

— Tu dois avoir une motte de beurre à la place de la cervelle pour écrire des imbécillités pareilles : « Philibert avait un œil plus beau que l'autre », « nous avons eu de la chance d'avoir de la veine », « il en était absolument sûr, à 20 % », j'en passe et des meilleures...

Cornebulle lui arracha le livre des mains, le pressa contre son cœur.

— C'est mon cerveau, c'est ma motte de beurre et je te ris à la face, vieille pomme pourrie.

Philibert avait d'autres préoccupations :

— Et le sac ?

Un souffle digne d'un vent de janvier traversa la pièce, faisant vaciller les flammes dans l'âtre. La femme se mit à rire, d'un rire retentissant et glacé, tout en montrant leurs pieds d'un doigt crochu.

Cornebulle soubresauta :

— Sire ! Regardez nos jambes ! Elles disparaissent !

En effet : leurs pieds, progressivement, devenaient translucides au point qu'on leur voyait les os. Ils se transformaient en fantômes !

La terreur les glaça. Cornebulle posa le manuscrit et des deux mains se tâta les jambes, incrédule.

Exaucée, la vieille femme s'approcha de la fenêtre et s'empara de la bougie ; puis, s'amusant de l'effroi qu'elle décelait dans les yeux de ses visiteurs, elle expliqua :

— Ce village en fait n'existe pas... Enfin, si : une fois l'an, la veille du jour des Morts ! Et − j'avais oublié de vous le préciser − il n'est habité que par des défunts... Durant le peu de temps où nous sommes visibles, chaque « occupant » allume une bougie et la pose sur le rebord de sa fenêtre pour guider les âmes qui viennent vers elles... Comme vous... Lorsqu'elles sont entre nos murs, nous soufflons les bougies et le village disparaît dans la brume du matin, emportant avec lui ses nouveaux habitants... pour l'éternité !

Philibert scrutait ses mains, dont la carnation devenait laiteuse, laissant apparaître ses phalanges... La vieille regarda par la fenêtre, puis fixa à nouveau les deux malheureux.

— C'est l'heure les amis... Le voile entre les deux mondes s'amincit, il est l'heure de le traverser... Mais, si vous me livrez le *Grand Livre des Secrets* de Merlin, je vous libérerai de ce mauvais sort...

La vieillarde souffla la flamme et la pièce, hormis l'auréole des braises dans l'âtre, fut plongée dans une pénombre sans nom. Il fallait faire vite. Le cerveau de Philibert ne fit qu'un tour sur lui-même, s'arrêta sur une idée qui valait ce qu'elle valait. Il mentit :

— Le manuscrit dont tu parles était dans le sac en toile de jute ! Où l'as-tu mis ?

La vieille se mit à rire, un rire glacial tout droit sorti d'outre-tombe. Elle ramassa ce qu'ils crurent être un chiffon et le jeta à leurs pieds.

— Le sac ? Le voilà ; et il était archivide !

Hagard, Cornebulle se baissa et ramassa ce qui avait contenu leur avenir de gloire, puis se redressa, rouge de colère :

— Quoi ? Tu l'as ouvert ? Tu as osé libérer Titivilus ?

La vieille haussa les épaules, comme si elle les prenait pour des demeurés, puis regarda encore le ciel, par la fenêtre, avant d'ajouter :

— Il est l'heure… Dépêchez-vous de me dire où est le *Grand Livre des Secrets* ou…

Brusquement, dans un élan dicté par son instinct, Philibert se jeta sur la sorcière et la précipita dans les flammes. Une explosion, quelques escarbilles, et la forme disparut dans une vrille noirâtre…

— C'est ce qu'on appelle partir en fumée ! osa Cornebulle.

Après quoi, le regard de l'écuyer suivit celui du chevalier : dehors, une clarté bienfaisante mangeait les ténèbres et les murs des maisons disparaissaient progressivement dans l'aube naissante. Le mauvais sort s'éloignait d'eux, le village fantôme regagnait les limbes, tandis qu'eux-mêmes reprenaient consistance humaine ; ils s'entre-regardèrent, soulagés : ils étaient redevenus *eux*.

— Vite, prenons nos jambes à notre cou et fuyons de ce lieu maudit !

Sans attendre leur reste, les deux compagnons d'aventure fuirent à pied aussi loin qu'ils le purent et sans plus s'arrêter.

Lorsqu'ils se sentirent à l'abri, et la rate en bandoulière, ils s'affalèrent au bord d'un ruisseau. L'air était si paisible qu'il était difficile d'imaginer les heures qu'ils venaient de vivre.

— Bon, j'espère qu'on ne va pas tomber sur d'autres lavandières, trolls, korrigans ou farfadets, parce que j'en ai ras le heaume, moi, de cette quête ! grognassa Philibert.

— Détendez-vous, ô maître, et passez en mode méditation pendant que je nous prépare un petit quelque chose à manger. C'est bien connu, on réfléchit mieux le ventre plein !

Peu de temps après, l'écuyer revenait avec des baies, ainsi que des poissons, qu'il fit cuire. Ils s'installèrent confortablement et profitèrent de la douce accalmie en écoutant les bruits de la nature. Repu, Cornebulle s'essuya les mains dans l'herbe ; voyant le front soucieux de Philibert, il en demanda la raison. Elle était simple et se résumait en trois mots : que faire à présent ?... Ce qui, finalement, faisait quatre mots !

Livre quatrième
Voyage en enfer

I. Même pas peur !

Les frondaisons denses cachaient le jour, il faisait sombre comme en pleine nuit. Les arbres enlaçaient leurs branches feuillues, formant un immense parasol au-dessus de leurs têtes.

— Où retrouver Titivilus à présent ? Il peut être partout et nulle part ! se plaignit Cornebulle.

Philibert resta silencieux un long moment. Trop longtemps pour l'écuyer, qui s'impatienta et le houspilla : « Sire ! Qu'allons-nous faire ? Nous sommes au pied du mur ! »

Le chevalier, stoïque, restait perdu dans l'ornière de ses pensées : si Titivilus apportait sa besace remplie de mille fautes au *Diable-d'en-bas*, si Merlin avait dit que rien qu'avec son manuscrit la hotte serait pleine, et vu les jours qui s'étaient écoulés...

Un éclair fracassa le silence, qui lui souffla la réponse :

— Tu as raison l'ami : nous sommes au pied du mur et, c'est bien connu, c'est au pied du mur qu'on voit le mieux le mur ! Il faut aller chercher Titivilus où il est, il nous faut descendre aux Enfers ; soit on l'y trouve, soit on l'y attend.

La fin du monde annoncée n'aurait pas eu plus d'effet et, si cela eût été possible, la mâchoire de Cornebulle se serait décrochée de son visage et serait tombée sur le sol, fracassée en éclats ; la langue se serait déroulée sur un mètre ; les yeux auraient jailli de leurs orbites pour aller faire quelques cabrioles dans l'herbe ; les bras lui en seraient tombés, telle la Vénus de Milo ; les dents, même, se seraient déchaussées une à une... Mais comme tout cela n'était pas possible, il bégaya :

— Aux... Enfers ?

— Nous n'avons pas d'autre choix !

Les yeux de Cornebulle roulèrent encore dans leurs orbites comme deux balles légères posées sur le sommet du jet vertical d'une fontaine.

— Et puis-je savoir comment nous allons nous y prendre ? Auriez-vous l'adresse des Enfers dans votre calepin ? Je nous vois bien frapper à la porte : « Dring-dring, bonjour monsieur le portier des Enfers, on voudrait voir monsieur Titivilus, s'il vous plaît... »

Le grondement du tonnerre se répéta et, pour toute réponse, Philibert pointa un doigt vers le ciel.

— Vous pouvez parler sans lever le doigt, sire, on n'est pas à l'école !

La foudre s'abattit au loin, illuminant le ciel de sa balafre. Soudain, le regard de Cornebulle se pétrifia : il venait de comprendre !

— Ah non ! Pas ça, sire !

Son compagnon d'aventure hocha la tête de haut en bas : « Si ! »

L'écuyer la secoua dans l'autre sens, et avec énergie : « Non ! »

Après plusieurs remuages de tête, à la verticale pour l'un et à l'horizontale pour l'autre, un éclair balafra à nouveau le ciel, mettant un terme à leur joute silencieuse. Effrayé, Cornebulle poussa un soupir désespéré :

— Non ! Pas la troupe d'Hellequin !

Le curieux attelage des ténèbres conduit par la Mort, précédé de chiens hurlants et condamné à errer pour l'éternité, terrorisait Cornebulle depuis sa plus tendre enfance. La « chasse d'Hellequin », comme on la nommait, sillonnait le ciel et venait chercher ceux qui étaient sur le point de mourir ; si l'on avait le malheur de se trouver sur son passage et si elle vous frôlait, on était emporté dans son sillage sans espoir de retour. Pour s'en garantir, il fallait, lorsque l'escorte macabre passait au-dessus de sa tête dans le vacarme assourdissant du tonnerre, se coucher à plat ventre sur le sol et fermer les yeux en invoquant tous les saints que l'on connaissait. Il convenait également de toujours se mettre à l'abri pour se protéger de la grêle d'os humains qui tombaient des cercueils, ces ossements volés dans les cimetières par les nains facétieux. Et à tous ces conseils, Cornebulle n'avait jamais dérogé.

Philibert le bouscula :

— Tu rêves ?

— Si on peut appeler ça « rêver », sire ! Je dirais plutôt que je cauchemarde !

Après quoi, tremblant d'épouvante, sursautant au moindre piaillement d'oiseau, il écouta religieusement le plan insensé de son maître...

— Tout d'abord, il nous faut trouver une bière…

— Une bière, sire ? Croyez-vous vraiment que ce soit le moment de boire ?

Philibert le gronda :

— Je parle de cercueil, espèce de cervelle rabougrie !

Vexé, Cornebulle fit la moue. Le chevalier poursuivit :

— Une fois que nous l'aurons trouvé, nous nous dirigerons vers le cimetière, où nous déposerons le cercueil ; puis, nous nous cacherons à l'intérieur et attendrons simplement que les croque-morts errants viennent faire leur macabre office. Qu'en penses-tu ?

— Je me décompose, sire, et avant même que d'être mort pour de vrai !

Sans rien ajouter, Philibert tira son écuyer par la manche et l'entraîna. S'étant remis en route, ils cheminèrent jusqu'au village le plus proche, cherchèrent l'ébéniste du lieu.

La porte de l'atelier fracturée, ils avancèrent à tâtons à la recherche d'une bière, assez large pour les contenir tous deux.

Après avoir trouvé ce qui leur convenait le mieux, ils hissèrent le cercueil sur leurs épaules et se faufilèrent dans la nuit en direction du cimetière.

Là, ils posèrent la bière devant une fosse fraîchement creusée et s'y allongèrent, les cheveux dressés sur le crâne. Cornebulle avait glissé le manuscrit de la légende de Philibert dans le sac et le tout sous ses vêtements, pour ne pas les perdre en cours de route. Il fallait faire illusion : un mort, ça ne se promène pas avec des bagages !…

La lune, pleine et laiteuse, disparaissait parfois derrière les filaments noirs des nuages, ressemblant alors à une radio du crâne. Les grondements du ciel, suivis de fulgurantes lueurs, déchiraient le ciel. Et eux, au lieu de s'abriter comme de raison, étaient là à attendre le passage d'Hellequin et de son escorte diabolique…

Le tonnerre grogna encore… Une ombre spectrale passa, un souffle glacial leur hérissa le poil ; puis ce fut le silence, et l'on n'entendit plus rien hormis leurs glottes qui déglutissaient bruyamment la salive. Les deux compagnons ne bronchèrent plus, les yeux cloués au ciel.

Soudain, une lueur rougeâtre érafla l'obscurité jusqu'à s'étendre progressivement comme si la voûte céleste se déchirait : les cavaliers maudits arrivaient, précédés de leur meute de chiens, qui dévoraient l'air de leurs hurlements. Dans un vacarme effroyable, l'attelage d'Hellequin traversa le ciel. Cette vision était plus terrifiante que tout ce que l'esprit humain pouvait imaginer : montée sur des chevaux aux naseaux fumants, à la crinière hérissée, la troupe hideuse était composée du roi des errants, squelette dans une armure, suivi d'une escorte de femmes aux vêtements déchirés et aux cheveux flottant au vent, de brigands de tout poil, des croque-morts chargés de cercueils. D'autres créatures, à moitié décomposées, soufflaient dans des cornes ou sonnaient des trompes dans une cacophonie indescriptible.

— Une question un peu saugrenue et de derrière les fagots me traverse l'esprit, sire : êtes-vous sûr que vous n'êtes pas fou à lier ?

— Nous n'avons pas d'autre porte d'entrée aux Enfers, rétorqua Philibert.

— J'espère que vous avez aussi une idée pour ce qui est de la porte de sortie ! gémit lamentablement l'écuyer, tandis que la troupe hurlante s'approchait.

Le chevalier tira Cornebulle par la manche pour le faire s'allonger.

L'attelage de la Mort ralentit sa course, plana au-dessus du cimetière, tandis que deux chiens-loups de la cohorte se dévoraient entre eux sans émouvoir quiconque. Les croque-morts se détachèrent du lot et se dirigèrent, flotti-flottant, vers les sépultures. Là, dans des rires aussi hideux que leur apparence, ils enfoncèrent leurs doigts longs et crochus dans la terre, s'amusant à déterrer des cadavres pour les mettre dans leurs cercueils en gloussant de plaisir. Profitant de ce qu'ils s'évertuaient à ouvrir une autre tombe, Philibert et Cornebulle rabattirent le couvercle de la bière sur eux.

Ils retinrent leur souffle, terrifiés... Les minutes passèrent.

— Sire, sans vouloir faire de jeux de mots, cette attente me semble éternelle !

Philibert lui ordonna de se taire, ce que son compagnon d'infortune moqua :

— Il y a autant de bruit là-dehors que sur un bateau pirate en plein abordage, sire ! Croyez-vous vraiment qu'ils vont nous entendre ?

Enfin, un bruit mat, une trompe qui sonnait le rappel, et ils se retrouvèrent soulevés, leur cercueil ballottant d'avant en arrière, parfois dangereusement.

— Nous aurions dû numéroter nos abattis, sire, parce que là, si nous tombons, on nous ramasse avec une éponge ! susurra l'écuyer.

Après une longue chevauchée, les trompes retentirent et l'attelage piqua droit vers l'avant... Un grand silence... Puis des bruits baroques, des bourdonnements sinistres... Le cercueil dans lequel Philibert et Cornebulle s'étaient dissimulés fut reposé dans un bruit sépulcral.

— Mince ! Et s'ils ouvrent le couvercle ?

— Ils vont *forcément* retirer le couvercle, Cornebulle… Jouons aux morts ou nous sommes morts pour de vrai s'ils découvrent le subterfuge !

— Et on fait comment ? Parce que moi, dans ma formation d'écuyer, je n'ai pas eu de cours « Fais le mort au cas où tu te retrouverais vivant outre-tombe » ! Et en ce qui me concerne, mourir pour mourir, j'aurais préféré mourir de rire, sire, et de mon vivant !

Ils se turent tout à trac et retinrent leur respiration : le couvercle se soulevait, sous des glousse-ments de contentement. Les yeux écarquillés par la terreur, le corps raidi par l'effroi, Philibert et Cornebulle donnèrent le change sans faire d'effort ! N'écoutant que leur instinct, qui d'ailleurs ne leur disait pas grand-chose, ils s'assirent dans le cercueil. Leur cœur tomba dans leurs poulaines… Avec ce qu'ils voyaient, pas de doute : ils venaient d'arriver aux Enfers…

II. Le monde à l'enfer

— Deux tout frais ! cria quelqu'un.

On ne pouvait pas dire la même chose de ceux qui étaient là : l'odeur était insoutenable.

Cornebulle et Philibert se redressèrent et sortirent mécaniquement de leur boîte.

— Grrrreuuuhhhhh ! gargarisa Cornebulle, la gorge serrée par l'étau de la terreur.

Autour d'eux la troupe éclata de rire. Puis, se désintéressant de leur butin, ouvrant les autres cercueils, les croque-morts en sortirent les ossements qu'ils avaient récupérés dans les cimetières et qu'ils jetèrent à pleines poignées autour d'eux, comme on jette des dragées à un groupe d'enfants un jour de baptême. Immédiatement, des êtres impensables, comme aucun œil humain n'en avait jamais vu, se précipitèrent joyeusement pour profiter de la grêle d'os.

Jouant de cette confusion, Philibert et Cornebulle s'éloignèrent en catimini. Mal leur en prit, car le chemin qu'ils avaient emprunté ne semblait mener nulle part.

— C'est ce qu'on appelle une allée sans retour ! miaula l'écuyer.

— Restons groupés, avançons lentement et gardons l'œil ouvert ! marmonna Philibert.

— L'œil ouvert, l'œil ouvert ! Vu tout ce qu'on voit, c'est plutôt fermés que j'aimerais les garder…

En effet, ils croisèrent tant de créatures abominables qu'il n'y avait aucun nom digne de ce nom pour les répertorier sur terre : des poules à laine, des créatures sans pieds qui marchaient sur les genoux, des bizarreries à deux têtes, d'autres qui n'avaient que deux trous à la place de la bouche et qui respiraient de cette manière, ou qui n'avaient pas de bouche, pas de nez, seulement un œil, des pieds à dix orteils. Il y en avait même un avec des oreilles qui lui pendaient jusqu'aux genoux et dont la lèvre inférieure tombait au sol.

— Diable ! Où est le distributeur d'eau bénite que je m'en asperge et que j'en boive cinq litres ? s'exclama Cornebulle.

L'écuyer en conclut que, finalement, Titivilus n'était pas aussi moche que ça comparé à tout cet embrouillamini de genres ! Même la coquecigrue, là, si elle avait existé sous forme d'animal, serait mignonne comparée à ce dégorgeoir innommable.

Ils avancèrent encore et Philibert remarqua, avec effroi, que lorsque son pied touchait une feuille d'arbre jonchant le sol, celle-ci se sauvait en courant. Pour s'assurer qu'il ne rêvait pas, il s'immobilisa et en frôla une du bout de l'orteil. Immédiatement, elle s'anima et, comme s'il s'était agi d'un crabe, elle se mit à déguerpir. Le chevalier se raidit, se demandant si l'idée de venir en ce lieu était vraiment bonne.

Cornebulle le sortit de ses pensées par un coup de coude discret :

— Là, sire, l'arbre aux Bernacles ; c'est un arbre maudit qui — on ne sait par quelle magie — attire les oiseaux sur ses branches ; mais dès qu'ils s'y installent, ils ne peuvent plus le quitter sous peine de mourir.

En effet, les oiseaux s'y cramponnaient mais aucun ne chantait ; ils avaient l'air triste, et épuisés de devoir garder l'œil ouvert. Sous eux, ceux qui s'étaient endormis et avaient lâché prise, ou qui avaient tenté leur envol... Leurs cadavres ou leurs maigres squelettes s'amoncelaient à présent sur le sol.

Un gloussement de plaisir, qui contrastait avec tout ce chagrin, attira leur attention. Les deux compagnons de quête s'approchèrent d'un pupitre où un diable hideux était installé ; nul doute, c'était le *Diable-d'en-bas*. Il était immense et bestial, portait des cornes, et sa peau velue virait de l'orange au rouge, du rouge au noir, selon les effets de la lumière et de ses mouvements. Devant lui était ouvert un grand registre et, à ses côtés : Titivilus. Penché sur l'écrivain infernal, il lui tendait un à un les feuillets qu'il sortait de son sac et commentait. L'autre écoutait, un sourire diablement cynique aux lèvres, avant de recopier la faute sur le grand registre.

— Sire ! On voit Titivilus sans potion ! constata Cornebulle.

Le *Diable-d'en-bas* et Titivilus se tournèrent simultanément dans leur direction et leurs yeux rouges scrutèrent alentour ; le rédacteur des Enfers ouvrit larges ses naseaux et renifla bruyamment.

Puis, contre toute attente, les deux démons en revinrent à leurs écritures.

Philibert se tourna vers Cornebulle et, discrètement, lui murmura :

— On les voit mais eux ne nous voient pas ! C'est le monde à l'envers.

— Je dirais que c'est le monde à l'enfer, sire... Mais à ce sujet : à présent que nous avons retrouvé *Qui-vous-savez*, comment allons-nous faire pour l'attraper, ce qui n'est déjà pas une mince affaire, récupérer les fautes, ce qui est une moins mince affaire encore, le mettre dans un sac, là je ne commente plus la minceur de l'affaire, et enfin ressortir de ce trou à rats qui fleure bon le cadavre et l'asticot moribond ?

Voyant Titivilus jeter le sac vide dans un coin, Philibert souffla :

— Si tu as encore de la place dans ta « mince affaire » tu peux ajouter : les fautes de Merlin sont à présent consignées dans le *Livre du Diable*.

— Et ?

— Et c'est le *Livre du Diable* qu'il va nous falloir voler à présent, en plus de Titivilus !

C'en était trop pour Cornebulle, qui resta irrémédiablement muet...

III. L'enfer, suite et fuite

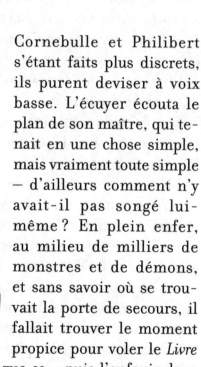

Cornebulle et Philibert s'étant faits plus discrets, ils purent deviser à voix basse. L'écuyer écouta le plan de son maître, qui tenait en une chose simple, mais vraiment toute simple — d'ailleurs comment n'y avait-il pas songé lui-même ? En plein enfer, au milieu de milliers de monstres et de démons, et sans savoir où se trouvait la porte de secours, il fallait trouver le moment propice pour voler le *Livre du Diable* — rien que ça — puis l'enfouir dans le sac à fautes vide de Titivilus — un jeu d'enfant

— juste avant que Titivilus vienne récupérer le sac pour revenir sur terre — ça se ferait les doigts dans le nez en deux temps trois mouvements, évidemment — et tout ça avant que le *Diable-d'en-bas* se rende compte de la disparition de son *Livre* — mais bien sûr! Après quoi — ah? il y avait une suite? — il leur faudrait se faufiler dans le sac de Titivilus pour ressortir des Enfers comme ils y étaient entrés — évidemment madame Bertrand.

— Euh… vous ne voulez pas qu'avant ça je fasse quelques emplettes et que je nous prépare une petite tourte pour le voyage? ironisa Cornebulle, au bord de l'inanition.

Car ce qu'on lui annonçait, c'était pire que les douze travaux d'Hercule réunis en une seule journée et en un seul lieu!

Un bruit leur cloua le bec: Titivilus sortait de l'antre en compagnie du *Diable-d'en-bas*. Soulagés, les deux captifs volontaires attendirent que les hideux personnages se fussent éloignés pour se glisser jusqu'à l'écritoire.

— Une question me brûle les lèvres, sire, si je puis me permettre ce jeu de mots vu l'endroit où nous nous trouvons. Nous deux pliés en huit dans son sac supposé vide, plus un manuscrit grand comme une pierre tombale, ça ne va pas lui paraître un peu lourd, à notre ami chasseur de fautes?

— Mais non, souviens-toi que sur terre Titivilus n'avait aucune consistance pour nous. Donc, comme c'est le monde à l'envers, et que lui ne peut nous voir, nous ne pèserons guère plus qu'une plume.

Philibert s'approcha de la table massive mais dut se rendre à l'évidence, déconfit : si eux pouvaient faire illusion pour les raisons qu'il venait d'évoquer, le *Livre du Diable* était si lourd, si grand, que c'était chose impossible que de le glisser dans un sac ! Et puis, rien n'indiquait que les deux compères diaboliques ne reviendraient pas ensemble dans l'antre. Ils constateraient immédiatement la disparition du volumineux manuscrit.

— Sire, et si nous ne prenions que quelques feuillets ? Ainsi, le *Diable-d'en-bas* n'y verra que du feu — si je puis dire — tant qu'il ne rouvrira pas son *Livre* maudit. Après tout, on n'est là que pour la mission de Merlin, les autres se débrouilleront avec leurs fautes !

Dans l'urgence, l'idée de l'écuyer fut adoptée à l'unanimité des deux compères et, très rapidement, Philibert ouvrit le *Livre*, en arracha les derniers feuillets qui devaient bien contenir les mille fautes de Merlin avant de les plier et de les glisser dans le sac.

Les rires lointains des deux diables parvinrent à leurs oreilles.

— Ils reviennent ! Vite, cachons-nous !

Et sans attendre leur reste, les deux compagnons de quête rampèrent tant bien que mal pour se réfugier dans le sac à fautes de Titivilus. Puis ils attendirent, le souffle en suspens. Les voix s'approchaient dangereusement et, enfin, ils sentirent la présence effective des deux démons près du pupitre. Le *Diable-d'en-bas* salua Titivilus, qui attrapa le sac au passage. Les respirations, à l'intérieur du sac, se suspendirent… Mais rien ne se passa… Un tourbillon, un envol, et ils soufflèrent de soulagement : ils volaient vers leur liberté.

Lorsqu'ils se réveillèrent, ils eurent la certitude d'être posés sur la terre ferme. Aucun bruit alentour… Cornebulle se tortilla, réussit à ouvrir la besace ; la lumière du jour l'aveugla. Enfin, il put gonfler d'air ses poumons : ils étaient dans un *scriptorium*, avec des moines bien vivants !

La voie étant libre, ils purent s'extraire du sac, abandonné dans un coin par Titivilus, dont on ne voyait trace…

— Et maintenant, sire, on fait quoi ? Car maintenant que nous sommes revenus dans le monde des vivants, nous ne pouvons plus le voir.

Philibert, qui semblait tout aussi démuni de solution, se consola :

— On a le sac, on a les fautes, tant pis pour Titivilus.

— Vous avez raison sire. Et puis, il n'aura qu'à prendre des cours de grammaire et d'orthographe à l'avenir, notre bon vieux Merlin.

Sans attendre leur reste, ils ramassèrent le sac et s'enfuirent en rasant les murs. Personne ne les avait vus !

Après une folle course, ils retrouvèrent la forêt avec ravissement, se laissèrent tomber sur l'épais tapis d'herbe. Ils prêtèrent l'oreille au ramage des oiseaux, au bruissement des feuilles dans les arbres, au gargouillis de l'onde.

— Comme le bonheur est fait de choses simples…

Épuisé, Philibert décida qu'il allait faire une petite sieste tandis que son écuyer leur préparerait un frugal repas.

Quand tout cela fut fait, ils se remirent en marche, le sac maintenu solidement fermé. Enfin, oui, enfin ils rentraient chez eux… Enfin… « Chez eux » après avoir déposé leur fardeau chez Merlin. Pourvu, oui, pourvu qu'il ne leur arrivât plus rien de fâcheux en chemin !

Livre cinquième
La faim justifie les moyens

I. Retour au Val-sans-Retour

— Holà! Qui va là? demanda Rastabias.

Le bonheur était trop beau! Car cette voix rocailleuse promettait la fin du voyage : enfin, ils étaient arrivés sans qu'aucune autre mésaventure leur ait barré le chemin.

— C'est nous, Philibert et son fidèle écuyer, venant annoncer à Merlin que nous avons accompli la mission qu'il nous avait confiée! répondit le chevalier, tout guilleret.

Reconnaissants et fiers, les sept sages escortèrent les deux cavaliers à pied vers la maison de Merlin.

Cornebulle profita du laps de temps qui les séparait de la maison de l'Enchanteur pour demander :

— Sire ?

Trop heureux d'avoir été à la hauteur de sa quête,
Philibert adressa à son compagnon un sourire béat
et patient, qui l'invitait à poursuivre.

— Je me demandais : si nous sommes de retour au
Val-sans-Retour... c'est qu'il n'est pas *sans* retour ?

— Euh... oui, mais c'est son nom ! Comme toi
qui te nommes Cornebulle même si tu n'as ni
corne ni bulle !

Maîtrisant mal son impatience, Merlin parut
sur le seuil de son logis. Dès que ses yeux se
fixèrent sur le sac bien saucissonné, qu'il vit le
sourire conquérant des deux cavaliers sans cheval,
l'Enchanteur se détendit instantanément.

Tandis que les accompagnants se dispersaient
autour de la demeure, Philibert confia son précieux bien à l'Enchanteur tout en lui contant leur
aventure, quelque peu remaniée. Les trois hommes
entrèrent dans l'antre de Merlin.

— Ça sent le chacal faisandé là-dedans ! lâcha
Cornebulle en un cri du cœur.

Un seul regard comminatoire de Philibert le fit
taire...

Merlin avait préparé un feu sur un trépied situé
au centre de la pièce. Il s'approcha d'une table

massive, la débarrassa de tout ce qui l'encombrait, puis sortit une coupe. Sans se soucier de ses invités, l'homme à la barbe blanche posa le calice sur un grimoire, y vida trois fioles différentes.

— Vous croyez qu'il nous prépare un cocktail maison, doux prince ? murmura Cornebulle en se léchant les babines.

Il n'obtint aucune réponse sinon, une nouvelle fois, un regard sévère.

Merlin tira le sac devant le trépied puis leva les bras au ciel :

— Gartoubiri malaloula !

Cornebulle pouffa :

— Il parle le farfadesque lui aussi ?

— Non ! C'est du druidique ancien ! tonna Merlin en se retournant brusquement et en clouant le bavard d'un regard noir.

La tête de Cornebulle s'enfonça dans ses épaules, tel un bernard-l'ermite disparaissant dans sa coquille.

L'Enchanteur leur tourna à nouveau le dos et reprit ses incantations. Se saisissant de la coupe, il en déversa le contenu dans le feu ; une explosion soudaine fit tressaillir les deux spectateurs de la scène mais, loin de s'en préoccuper, Merlin ouvrit le grimoire et en lut un passage dans une langue inconnue.

Enfin, le mage posa le livre sur le sol et déroula la corde qui maintenait le sac fermé ; soulevant la besace, il la retourna et en vida le contenu invisible dans les flammes, qui s'élevèrent brusquement et de manière démesurée. Pour finir, l'Enchanteur y jeta le sac tout entier, qui se consuma à son tour dans une grande bataille de flammes. Il refit face à Philibert et à Cornebulle :

— Vous êtes bien certains que tout y était ?

— Oui, sire, je vous ai bien dit que les humains, sur terre, et tout Merlin qu'ils soient, ne peuvent voir l'impalpable, insista Philibert.

Le sage mage souffla de soulagement.

— Grâce à vous mes amis, mon honneur est sauf…

Ayant ramassé la coupe qui avait servi au rituel, il l'essuya avec un linge, la tendit à Philibert :

— En guise de remerciement, je t'offre cette coupe… c'est le saint Graal !

Ému aux larmes, Philibert posa un genou au sol.

— Merlin, bel Enchanteur au nom éternel, tu m'honores du plus beau des présents et je te fais serment ici même d'en faire le meilleur usage…

L'homme posa sa main robuste sur l'épaule du chevalier :

— Va à présent et rentre chez toi afin que s'accomplisse ta destinée… Car après ces péripéties, tu as bien mérité la gloire…

— Destinée que j'ai consignée de mes mains ! ajouta fièrement Cornebulle en montrant le manuscrit qu'il gardait bien précieusement coincé entre sa chemise et sa peau.

Tandis que Philibert rangeait précautionneusement le saint Graal dans sa sacoche, Merlin offrit un flacon d'encre et un calame à l'écuyer, qui n'en avait plus. Puis il leur ouvrit la marche vers la sortie.

Après qu'ils se furent salués et congratulés sur le pas de la porte, l'Enchanteur confia la garde de ses sauveurs aux bons soins de Rastabias.

— Conduisez nos amis jusqu'aux limites de Brocéliande, eux qui ont si bellement accompli leur mission…

Marchant au pas, les deux compagnons s'éloignèrent, escortés par le groupe de Celtes.

Après avoir fait leurs adieux aux deux héros aux abords d'une rivière, les sept compagnons rebroussèrent chemin.

— Quand même, sire, après tout ce qu'on a fait, il aurait pu nous offrir deux chevaux ! remarqua Cornebulle, boudeur.

Philibert posa sa main robuste sur l'épaule de son écuyer.

— Ta voix a murmuré tout haut ce que ma tête pensait tout bas ! admit-il.

Ils parcoururent encore plusieurs lieues avant de quitter la forêt touffue ; enfin, une belle vallée s'offrit à leurs yeux ébahis. L'automne, déjà, faisait flamboyer ses couleurs.

— Ça sent le chez-nous, sire !

— Vrai ! Enfin de retour au bercail, et le cœur léger. Mais la route est encore longue, surtout à pied. Alors faisons une halte et rafraîchissons-nous. Pour ma part, je vais m'ébrouer dans l'onde fraîche de ce ruisseau.

— Je vais m'installer sur ce tronc d'arbre pour poursuivre ma rédaction en vous attendant, sire, proposa le biographe.

Philibert s'éloigna et retira ses poulaines pour tremper un pied dans l'eau ; mais comme elle était vraiment froide, il y renonça courageusement et se promena, ramassant quelques feuilles aux couleurs flamboyantes pour les mettre dans son herbier ; cette tâche accomplie, il revint vers Cornebulle, qu'il découvrit se trémoussant sur son séant :

— Que t'arrive-t-il l'ami ? On dirait que tu as bu trois litres d'eau hier soir et que depuis on t'empêche de satisfaire ton envie de pipi !

Après un temps d'excitation, Cornebulle se libéra de son angoisse.

— C'est que… il y a tellement de choses à raconter que je ne sais plus où donner de la tête !

Détendu, Philibert s'installa à ses côtés, prêt à l'aider. Il se pencha sur le feuillet et lut quelques lignes.

— Euh... quand tu écris : « les yeux dans les yeux en fixant ses chaussures »... n'y a-t-il pas là un contresens ?

Cornebulle lui arracha littéralement le feuillet des mains :

— Surtout, cachez votre joie ! Je me décarcasse comme un prunier pour pondre votre légende, et vous... et vous...

Ne trouvant pas la bonne chute à sa phrase, il se replongea dans ses écrits après avoir plongé son calame dans l'encre.

Tandis que le « scritsh-scritsh » de la plume comblait le silence des lieux, Philibert joua l'indifférence et s'allongea sur le tapis douillet de feuilles mortes. Il s'apprêtait à plonger dans un sommeil réparateur lorsque la voix de son acolyte se fit à nouveau entendre, lançant son éternel prélude :

— Sire ?

— Je sens que tu vas encore étouffer ce moment de quiétude !

Cornebulle se ravisa :

— Bon, d'accord, sire, dormez un instant ; de toute manière j'ai quelques besoins naturels à assouvir et je vous réveillerai plus tard ! Car comme on dit au pays : « Trop de baies mangées, intestins indisciplinés ! »

— Il était inutile de me donner tous ces détails intimes, mon brave ! Va, prends tout ton temps, au moins je vais pouvoir me recroqueviller sur moi-même et fermer mes petits yeux fatigués !

Et, avec un soulagement digne des plus grands soulagements, il s'endormit...

Cornebulle revint un long temps plus tard, et pas seul : il tenait deux chevaux par la bride. À Philibert, tout étonné, il expliqua :

— Je suis impressionnant, n'est-ce pas ? En fait j'ai marché dans les bois pour... ce que vous savez, et j'ai vu un couple, près d'une fontaine, qui se reposait en laissant paître ces montures. J'ai réussi à les troquer contre deux mégots !

— Mais... et eux ? Comment vont-ils poursuivre leur voyage ?

L'écuyer posa une sacoche sur le sol, l'ouvrit, tout en développant :

— Ils étaient pratiquement arrivés, plus que quelques lieues qu'ils voulaient bien faire à pied quand je leur ai raconté vos exploits... Et regardez-moi ça, sire : l'homme, qui composait des vers, m'a même cédé des feuillets, sa plume et son encrier lorsque je lui ai dit que j'écrivais votre légende !

Philibert hésita encore :

— Après toutes nos aventures, es-tu sûr que ce sont des gens « normaux » et des chevaux « normaux » ?

Cornebulle mit son doigt dans un trou mal rapiécé, tourna, tira, jusqu'à le déchirer davantage.

— Je trouve le moyen de rentrer, rapidement et sans fatigue, et voilà le remerciement ! J'en ai assez, moi, de cette quête, et j'ai hâte d'être dans mon lit au plus vite ! Regardez-moi, sire, j'ai tellement maigri que mes os vont trouer ma peau sous peu, et puis il commence à faire si froid que même mes pensées gèlent.

Philibert posa une main compatissante sur l'avant-bras de son protégé.

— Trouve ta consolation dans le fait que la souffrance fait mûrir, mon ami !

— C'est un point de vue : pour moi, la souffrance, elle fait surtout souffrir !

Considérant les deux chevaux, Philibert se rallia à la cause de son écuyer :

— Mais tu as raison, ami, nous n'avons que trop tardé ! Alors, soyons heureux de l'aubaine, levons le camp et retrouvons notre foyer !

Leurs effets bien calés sur leurs montures, les deux compagnons reprirent leur périple…

II. C'en est trop ! Au galop !

Lorsque les remparts du château apparurent au loin, les deux héros ralentirent la cadence pour jouir pleinement du paysage qui s'offrait à leurs regards chavirés. Enfin, ils étaient arrivés *à la maison* ! Et sans autre entourloupe maléfique, les deux chevaux avaient sagement accompli leur œuvre.

Du haut des tours de guet, les gardes se précipitèrent pour donner l'alerte. Tandis que les portes s'ouvraient lourdement et que la nouvelle était relayée à l'intérieur de l'enceinte fortifiée, Cornebulle lâcha :

— Je vous vois aussi serein que le serin, beau sire, mais puis-je vous donner mon avis à tiède ?

— Euh... à chaud, veux-tu dire ?

— Euh... non..., fit l'autre, étonné.

— À froid alors ?

— Pourquoi à froid, sire ?

— Parce que quand on réagit, c'est à chaud ou alors à froid, c'est ainsi !

— Mais moi, comme ce n'est ni à chaud ni à froid, c'est forcément à tiède. Et puis, c'est mon droit, non ?

Voyant sa mère dévaler les escaliers, Philibert se dressa sur ses étriers et lui fit un signe de la main ; son écuyer poursuivit :

— C'est que... nous avons beaucoup voyagé, visité de nombreuses contrées, et vous n'avez même pas rapporté un cadeau pour votre maman !

Philibert se ratatina sur lui-même : vrai ! Il n'avait pas songé à cela... Ni pour Béatrice d'ailleurs, qu'il comptait rejoindre au plus vite !

Les hérauts vinrent accueillir les héros et c'est dans ce bel arroi que l'escorte franchit les portes du château. La mère de Philibert, qui s'était précipitée, s'interdit au bas de la selle, les mains jointes sur son cœur et débordante de félicité :

— Oh mon Dieu ! s'écria-t-elle.

Humblement, le prince lui répondit :

— N'exagérons rien, mère, vous pouvez conti-
nuer à m'appeler Philibert !

Puis, à haute voix :

— Qu'on nous apporte de l'hydromel à faire
danser les chèvres !

Dame Bertrade frappa des mains tandis que son
fils glissait vaillamment de sa monture ; elle le prit
dans ses bras et l'embrassa :

— Mon aimé ! Tu as dû voyager jusqu'aux confins
du monde habité pour puer de la sorte, mais je suis
certaine que tu as pensé au joli cadeau souvenir
pour maman ?

— Oui, bien sûr mère, toussota l'intéressé.

Et, se tournant vers Cornebulle :

— Fidèle écuyer, donne donc à ma mère la coupe
que Merlin nous a confiée et que je réservais
d'emblée à ma douce môôôman.

Cornebulle lui adressa un visage aussi étonné
que celui de la lune se retrouvant dans le ciel en
plein midi.

— La coupe, sire ?

— Oui, le Graal, répondit le fier Philibert entre
ses dents, sans quitter sa mère du regard.

Son compagnon d'épopée le tira par un bras
pour l'éloigner de là et, sans rien oser admettre,
gigota et se tordit les doigts.

— Ta danse de l'asticot coupable me laisse présager que tu as quelque chose d'inavouable à m'avouer ?

— C'est que... autant vous le dire tout de suite, sire... On ne l'a plus !

Le regard que le prince lui asséna en disait long sur ses intentions. Cornebulle hésita, puis ajouta :

— Avec quoi croyez-vous que j'ai acquis les deux chevaux ? Avec mon sourire niais et mes dents jaunes ?

— Tu veux dire... que tu as troqué le saint Graal contre deux canassons ?

— Ce n'était qu'une coupe, sire, et on ne pouvait pas rentrer à pied !

Philibert vira par toutes les couleurs de l'arc-en-ciel.

— Là, c'est le pompon sur le gâteau, la cerise sur le ghetto, la goutte d'eau qui fait déborder la Seine, comme tu voudras !

Il fixa l'écuyer, qui finit par baisser les yeux. Dépité, le chevalier revint vers le groupe, attrapa les rênes de son cheval, remonta en selle. D'un regard assassin, il invita Cornebulle à l'imiter.

— Mais... que fais-tu ? Tu viens à peine d'arriver ! s'exclama dame Bertrade.

— Il ne faut pas remettre à deux mains ce qu'on peut faire avec une, mère !

Ils firent faire un tour en demi-lune à leurs montures.

— Mais mon Philou, où vas-tu ?

— Chère mère, j'ignore si c'est le devoir qui m'appelle ou la bêtise de mon écuyer qui m'y contraint, mais nous repartons en mission… Nous allons à la quête du Graal.

L'assemblée bourdonna, n'en revenant pas du courage de ce chevalier qui, à peine revenu de l'enfer, osait proposer y retourner.

Et, vaillamment, Philibert éperonna sa monture. Et, lamentablement, Cornebulle le suivit.

Ainsi commença la véritable aventure médiévale de la quête du Graal…

Fin du premier manuscrit,

du premier flacon d'encre,

du calame usé jusqu'à la corde…

Oyez, oyez, galants lecteurs !

Sans doute seriez-vous tentés de croire que les histoires et historiettes révélées dans cette histoire sont sorties toutes cuites du cerveau dérangé de Cornebulle ?

Non point ! Ce sont parfaitement véridiques légendes, attestées par les plus savants historiens.

C'est que du temps de Philibert, il suffisait de retourner une pierre et, hop ! un démon velu vous sautait au visage. Et laissez-moi vous dire qu'on avait tôt fait d'apprendre son orthographe, sous peine de finir entre les griffes de l'affreux Titivilus !

Mais assez parlé, voici ici listées les plus authentiques et fabuleuses histoires qui parsèment le roman que vous venez de savourer.

 Titivilus

Le démon gobeur de fautes

Cette légende est née dans les monastères médiévaux. Les moines copistes sont surchargés de travail et leur tâche est très répétitive. Au fil des heures, la lassitude, l'inattention s'installent et il arrive que le copiste oublie un mot, une lettre, voire une ligne entière du texte. Selon la légende, c'est le moment que choisit Titivilus pour faire des siennes. Ce démon se régale des étourderies qu'il guette avec impatience. Perché sur l'épaule des moines copistes, il met chaque nouvelle faute dans un grand sac, qu'il a pour mission de remplir chaque jour. Puis il apporte sa besace pleine au *Diable-d'en-bas*, qui note dûment dans un grand registre chaque péché d'inattention avec, en face, le nom du moine qui l'a commis, afin que celui-ci en réponde le jour du Jugement dernier.

Du diable au saint patron

Les copistes craignent en fait moins Titivilus et le Diable que Dieu lui-même, car les fautes d'inattention sont considérées comme un péché de paresse et de laisser-aller.

Lorsque les universités commencent à leur confier des manuels scolaires à copier en nombre, les moines sont submergés et légèrement agacés, d'autant plus que leurs commanditaires n'hésitent pas à les presser et même à se plaindre des fautes quand ils en trouvent ! Ces textes étant profanes, les moines copistes y sont moins « spirituellement sensibles » qu'ils ne le sont aux textes religieux. Par jeu et pour se disculper auprès des universitaires tatillons, ils mettent souvent leurs fautes sur le compte de Titivilus. Ainsi, il n'est pas rare d'entendre un moine s'exclamer lorsqu'on lui fait un reproche : « c'est l'œuvre de Titivilus » ; « c'est Titivilus qui m'a dicté cette erreur »…

Le petit démon finit par être utile aux copistes et devient celui qu'on invoque comme excuse, donc… un protecteur.

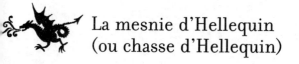 ## La mesnie d'Hellequin (ou chasse d'Hellequin)

La légende d'Hellequin est née au XIe siècle. On raconte que le roi des Morts se présenta aux noces d'un monarque nommé Herla et, sous couvert de courtoisie, l'invita à lui rendre à son tour visite en son royaume. Herla et sa *mesnie*[8] rejoignirent donc le monde des Ténèbres, un endroit où il est facile d'entrer, mais d'où l'on ne peut pas ressortir... Au moment où ils voulurent prendre congé, le roi des Morts leur fit une offre : Herla et sa suite ne seraient autorisés à revenir dans le monde des vivants qu'à condition de ne jamais descendre de cheval.

C'est par cette ruse que le roi des Morts condamna la troupe de Herla à l'errance éternelle. Cette armée de fantômes est bientôt rejointe par tous ceux qui sont morts sans avoir fait pénitence, puis par des croque-morts, chargés d'emporter avec eux ceux qui sont sur le point de mourir. Ils deviennent ainsi des chasseurs maudits qui traversent les airs en punition de leurs péchés, et terrorisent les vivants.

---

8. Par mesnie, il faut entendre « famille » au sens large, ou « suite » pour un roi.

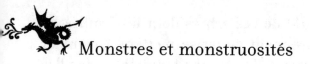

Monstres et monstruosités

Le basilic

Au Moyen Âge, la superstition voulait que lorsqu'un coq couvait un œuf de poule il en sortait un serpent à tête de coq : le basilic, également appelé basilicoq. On lui attribuait des pouvoirs maléfiques : un venin mortel et un regard qui pétrifiait celui qui le regardait dans les yeux. On retrouve le basilic dans de nombreux bestiaires.

L'arbre aux Bernacles

Cette autre croyance nous vient des voyageurs du Moyen Âge, qui racontaient parfois des choses hallucinantes. Mandeville nous détaille, par exemple, le mystérieux arbre aux Bernacles : les oiseaux qui s'y posaient y étaient retenus à vie car, dès qu'ils cherchaient à s'envoler, ils tombaient à son pied et mouraient.

Les feuilles vivantes

Un autre explorateur, Pigafetta, qui a accompagné Magellan lors de son premier voyage autour du monde, parle de ces arbres dont les feuilles qui tombent prennent vie et se mettent à marcher. Il raconte que si l'on touche l'une de ces feuilles, elle se sauve en courant.

Autres monstruosités qu'auraient pu croiser Philibert et Cornebulle

Outre Pigafetta ou Mandeville, d'autres, comme Jacques de Voragine ou Bélial, ont décrit les êtres légendaires dont il est question dans ce roman, mais aussi bien d'autres : hommes à tête d'animaux divers ou aux pieds de bouc, cyclopes, poules à laine, animaux qui marchent sur les genoux, fourmis à taille de chien, êtres qui n'ont que deux trous à la place de la bouche, qui ne se nourrissent que d'odeurs, au cou long comme une girafe, arbres qui parlent, arbres à tête humaine, ou inversement, humains recouverts de feuilles...

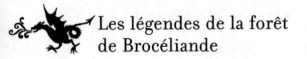 Les légendes de la forêt de Brocéliande

Les aventures de nos héros ont pour cadre la Bretagne et sa forêt mythique de Brocéliande. C'est là que se déroule la légende de Merlin l'Enchanteur, du roi Arthur et des chevaliers de la Table ronde. On y croise des fées, comme Morgane ou Viviane, on se perd dans le Val-sans-Retour…

Le Val-sans-Retour

C'est le lieu le plus réputé de la forêt, une sorte de « triangle des Bermudes » qui détraque les boussoles. Trahie par son amant, la fée Morgane, demi-sœur du roi Arthur, décida de retenir prisonniers dans ce val tous les chevaliers infidèles. Seul le chevalier Lancelot, au cœur pur, put déjouer l'enchantement et délivrer les malheureux chevaliers.

Le Miroir-aux-Fées

L'épisode du roman qui évoque cet étrange « miroir » se réfère à la légende suivante : cinq fées avaient établi leur demeure au fond d'un lac et s'étaient juré mutuellement de ne jamais regagner la surface. Mais un jour, l'une d'elles en sortit, tomba amoureuse d'un mortel et donc rompit le serment. Les autres fées se vengèrent et tuèrent le malheureux « coupable ». Le lac prit ainsi son nom de « Miroir aux fées », non seulement parce qu'il était devenu leur demeure pour l'éternité, mais également parce que la forêt était tellement dense que le vent ne pouvait s'y engouffrer pour rider la surface de l'eau, qui ressemblait alors à un miroir.

Le château du Val-aux-Houx

De nombreux fantômes hantent les châteaux et les manoirs de la forêt de Brocéliande, et celui du Val-aux-Houx, situé entre Josselin et Ploërmel, a nombre de locataires :

Les quatre joueurs de cartes

On raconte que dans l'immense salle à manger, où flambe un grand feu de bois, dès que les vivants quittent les lieux pour aller dormir, quatre squelettes viennent s'installer à la table et jouent aux cartes toute la nuit. Pour ceux qui n'y croiraient pas, il suffit de laisser, le soir, un jeu de cartes en évidence : le lendemain, on ne le trouve plus dans le même ordre.

Le fantôme de Pierre Barbelat

Ce spectre solitaire hante le manoir qui fut le sien. Les visiteurs nocturnes entendent le bruit de ses pas dans leur dos mais, dès qu'ils se retournent, silence ; il n'y a personne.

Le Mailloux

On dit qu'il apparaît les 29 mars et 29 septembre, dates qui correspondaient autrefois au paiement de certaines redevances. Ces nuits-là particulièrement, on entend distinctement un cliquetis dans l'une des pièces du château : c'est le Mailloux qui compte ses sous. Il les prend d'un tas pour en faire des piles et, dit-on, il ne faut surtout pas le déranger. La légende rappelle d'ailleurs qu'une nuit, un incendie se déclara au manoir du Val-aux-Houx ; c'était curieusement un 29 septembre : sans doute avait-on dérangé le Mailloux dans le comptage de ses sous !

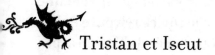 ## Tristan et Iseut

Au même titre que Lancelot et Guenièvre ou Roméo et Juliette, Tristan et Iseut comptent parmi les plus célèbres « amants maudits » de la littérature. Les aventures de Tristan, le chevalier qui sert de référence à Philibert, ont été écrites sous forme de roman au XIIe siècle. De nombreuses autres versions de l'histoire sont venues enrichir la légende.

En voici un rapide résumé :
Tristan est recueilli à la naissance par son oncle Marc, le roi de Cornouailles. Il lui prouve à maintes

reprises sa vaillance et sa fidélité, notamment en combattant avec succès le Morholt, un terrible géant.

Quelque temps plus tard, Marc décide de prendre pour épouse Iseut la blonde, fille du roi d'Irlande. Tristan est chargé d'escorter la promise de Marc. Mais au cours du voyage, Tristan et Iseut boivent par mégarde un philtre d'amour destiné à rendre Iseut et Marc follement amoureux pendant trois ans. Les jeunes gens essaient de lutter, mais la force qui les attire est trop forte et ils finissent par céder à leur passion fatale.

Lorsque Marc apprend leur liaison, sa colère est terrible. Tristan et Iseut sont contraints de se réfugier dans la forêt du Morois, où ils mènent une existence austère. Lorsque le roi les retrouve enfin, ils sont endormis côte à côte, l'épée de Tristan séparant leurs deux corps. Marc y voit un témoignage de chasteté et décide de pardonner les amants.

Tristan et Iseut sont bouleversés par la bonté du roi, et l'effet du philtre commence à se dissiper. Ils sont toujours amoureux, mais d'un amour différent, d'un amour plus « naturel ».

Iseut décide alors de reprendre sa place auprès de Marc, et Tristan est contraint de s'exiler en Bretagne. Là-bas, pour avoir combattu bravement, il obtient la main d'une autre Iseut : Iseut aux Blanches Mains.

Un jour, Tristan est gravement blessé et seule Iseut la Blonde peut le sauver. Il la fait appeler, et demande que le bateau chargé de la ramener hisse une voile blanche à son retour pour confirmer qu'Iseut est à son bord. Mais l'épouse de Tristan, Iseut aux Blanches Mains, malade de jalousie, ment à Tristan et lui annonce une voile noire. Se croyant abandonné par celle qu'il aime, il se laisse mourir. Lorsque Iseut découvre le corps sans vie de son éternel amour, elle meurt de chagrin à son tour.

Le roi Marc fait inhumer les amants en Cornouailles, dans deux tombes côte à côte. Bientôt, une ronce pousse et relie leurs tombes l'une à l'autre. Voilà les deux amants réunis par-delà la mort…

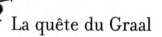 La quête du Graal

Coupe, vase ou plat creux, le Graal est un objet mythique de la légende arthurienne. Le saint Graal est la coupe qui aurait servi au dernier repas de Jésus (la Cène) et dans laquelle Joseph d'Arimathie aurait recueilli le sang qui coulait de la plaie du corps du Christ sur la croix après qu'un soldat l'eut transpercé de sa lance. Ce calice, caché par

185

Joseph d'Arimathie, est transmis à son beau-frère, qui le transmet à son tour à ses enfants, dont l'un le dépose sur une île inconnue… Le saint Graal devient l'objet de la quête des chevaliers de la Table ronde, lui attribuant plusieurs interprétations symboliques et inspirant de nombreuses légendes.

Vaillants lecteurs, vous savez désormais tout des sortilèges et incongruités qui font le sel de cette épique époque, qui n'a pour vous plus rien d'opaque.

Puissent ces informations vous être de bon secours, si d'aventure vous vient le désir d'éprouver votre bravoure en la forêt de Brocéliande... ou chez notre bon ami le Diable-d'en-bas !

Anne Pouget est historienne, spécialiste du Moyen Âge. Depuis son premier titre, *Le Fabuleux Voyage de Benjamin*, qui a reçu le Prix du roman pour enfant en 1994, elle continue de publier des livres tant pour la jeunesse que pour les adultes et anime des ateliers de recherche et d'écriture dans les écoles.

Vous pouvez visiter son site à cette adresse :

www.anne-pouget.fr

Du même auteur

Aux éditions Casterman

Collection Romans
Les Énigmes du vampire

Les Brumes de Montfaucon
Prix du Roman jeunesse du ministère de la Jeunesse et des Sports, 2005
Prix NRP Collèges, 2005
Prix Val Cérou sur l'univers médiéval, 2006
Prix du Roman jeunesse de la ville d'Aumale, 2006
Prix Lire en Chœur des Lycéens de Nogent-le-Rotrou, 2013

Inch'Allah ! Si Dieu le veut !

Le Mystère des pierres
Prix Fulbert de Chartres, 2011

Les Derniers jeux de Pompéi
Sélection du ministère de l'Éducation nationale (6ᵉ)
Prix Biennale des collégiens de Pontivy, 2014

Quelle épique époque opaque !

Par-delà l'horizon — L'enfance de Christophe Colomb

Collection Documentaires
C'est leur histoire — Les Explorateurs

Aux éditions Le cherche-midi

Le Grand livre des « pourquoi »
J'imprime pas ou 10 méthodes pour se souvenir de tout